AF174424

¡Sssssssh hhhhhhhhhh!

Haz del teatro algo íntimo

Llévalo siempre en el bolsillo

Cubierta y diseño editorial: Éride, Diseño Gráfico
Dirección editorial: ángel jiménez

Primera edición: septiembre, 2025

La lazarilla
© Eduardo Galán
© VdB, 2025
Espronceda, 5
28003 Madrid

VdB®

ISBN: 979-13-87644-49-9
Depósito Legal: M-21513-2025
Diseño y preimpresión: Éride, Diseño Gráfico

Cualquier forma de reproducción, distribución, comunicación pública
o transformación de esta obra solo puede ser realizada con la autorización
de sus titulares, salvo excepción prevista por la ley. Diríjase a CEDRO
(Centro Español de Derechos Reprográficos, www.cedro.org) si necesita
fotocopiar o escanear algún fragmento de esta obra.

Cualquier representación pública de esta obra debe ser autorizada por el autor.
La autorización puede ser tramitada a través de la Sociedad General de Autores
y Editores (SGAE).

Todos los derechos reservados.

VdB® es una marca registrada de Éride, S.L.

Este libro protege el entorno

la lazarilla

Eduardo Galán Font

Es dramaturgo, guionista, novelista y ensayista español. Miembro de la Junta Directiva y del Consejo de Dirección de SGAE, Vicepresidente 1º de la Academia de las Artes Escénicas y Secretario General de la Asociación de Productores y Teatros de Madrid (APTEM).

Como autor teatral ha estrenado más de treinta obras originales y muchas adaptaciones. Entre las originales sobresalen, entre otras, *La profesora* (*Life lessons/Lecciones de vida* en su estreno mundial en Nueva York con cinco premios internacionales), *La curva de la felicidad, Blablacoche, Maniobras, Historia de 2, La posada del Arenal, Mujeres frente al espejo, Nerón, Mercado de amores, Anónima sentencia, La sombra del poder…* Y entre las adaptaciones figuran, entre otras, *Las guerras de nuestros antepasados,* de Miguel Delibes; *Los pazos de Ulloa* de Emilia Pardo Bazán; *Un marido ideal* y *La importancia de llamarse Ernesto,* de Óscar Wilde; el musical *El fantasma de la ópera,* de Lloyd Weber; *La Celestina,* de Fernando de Rojas; *El caballero de Olmedo,* de Lope de Vega; *El galán fantasma,* de Calderón de la Barca; *El zoo de cristal,* de Tennesse Williams; *Anfitrión,* de Plauto; *Alejandro Magno,* de Racine; *El Lazarillo de Tormes* y *La Regenta,* de Leopoldo Alas Clarín o *Electra,* a partir de textos de Sófocles y Eurípides.

Como novelista ha publicado la novela *La pasión de Alma* y para niños *SOS Salvad al ratoncito Pérez.* Y en 2021 dio a conocer su *Diario de un confinamiento.*

EDUARDO GALÁN

la lazarilla

Esta obra se estrenó en el Teatro Palacio Valdés de Avilés
el 27 de junio de 2025, interpretada por
Soledada Mallol (LAZARILLA)
y Pepa Pedroche (MARIDO DE LAZARILLA / EL CIEGO / EL CLÉRIGO /
EL HIDALGO / EL BULDERO / EL ARCIPRESTE DE SAN SALVADOR).

Dirección: Carla Nyman.

Personajes

ACTRIZ 1   interpreta el personaje de LAZARILLA
             (LÁZARA).

ACTRIZ 2   interpreta los personajes (por orden de
             intervención)
             MARIDO DE LAZARILLA
             EL CIEGO
             EL CLÉRIGO
             EL HIDALGO
             EL BULDERO
             EL ARCIPRESTE DE SAN SALVADOR.

Prólogo

Las dos actrices, vestidas con vaqueros y ropa actual, se están cambiando en camerinos. La ACTRIZ 1 *se está ajustando un gorro, mientras la* ACTRIZ 2 *se está intentando colocar un bigote. Se percibe un ambiente de frustración y de cierto humor absurdo. Las dos actrices calientan la voz con diferentes ejercicios antes de comenzar con la primera intervención.*

ACTRIZ 2   Bienvenidas, bienvenidos. Gracias por haber querido presenciar este experimento.

ACTRIZ 1   Sí, porque menudo experimento. No sabemos si lo que nos ha correspondido realizar a nosotras dos os parecerá interesante.

ACTRIZ 2   Para nosotras lo está siendo, desde luego.

ACTRIZ 1   No sé qué es peor si este gorro, con el que parezco la abuela del Lazarillo, o el texto que nos ha escrito Galán.

ACTRIZ 2   El gorro, por supuesto.

ACTRIZ 1   ¿De verdad alguien va a creerse que soy una pícara del siglo XVI?

ACTRIZ 2   ¿Y alguien va a creerse que yo soy el ciego, el clérigo, el cerrajero, el hidalgo, el buldero, el arcipreste de San Salvador y el marido de Lázara?

ACTRIZ 1   No, que no nos programan. Que no puedes hacer varios personajes en la misma temporada.

ACTRIZ 2   No me tomas en serio. Intento cambiar de voz para que se diferencien unos personajes de otros. Nos hemos vuelto locas. ¿Cuándo ha sido «El Lazarillo» una obra de mujeres?

ACTRIZ 1   Fue lo que nos dijo el autor cuando nos entregó la obra.

ACTRIZ 2   ¡Hay que tener mucha cara!

ACTRIZ 1   Ahora que la culpable eres tú.

ACTRIZ 2   ¿Yo?

ACTRIZ 1   Sí, tuya fue la idea. Que si Galán escribía buenas adaptaciones, que si estaba en un buen momento creativo... ¡Bobadas!

ACTRIZ 2   Se aprovecha de nosotras, porque nos pasamos el día mendigando personajes a los productores.

ACTRIZ 1   ¡Toma ya! Como que somos mendigas de personajes.

ACTRIZ 2   Que solo hay papeles para las actrices jó-
            venes.

ACTRIZ 1   Y a las demás, que nos den tila.

ACTRIZ 2   ¿Montamos un sindicato de actrices de más
            de cincuenta?

ACTRIZ 1   No te digo yo que no me presente. Pero crée-
            me que es la primera y la última vez en mi
            vida que me fío de un autor.

ACTRIZ 2   ¡Este tío es un incompetente!

ACTRIZ 1   Y un imprudente y un inconsciente y un in-
            transcendente y un inconsecuente y… Y un,
            un, un… (Se calla.) Pero… ¿tú qué le pediste
            exactamente?

ACTRIZ 2   Que nos escribiera una adaptación de una
            obra clásica para dos actrices.

ACTRIZ 1   (Irónica.) Pues ha dado en la diana.

ACTRIZ 2   Es que quitando a Celestina pocos persona-
            jes de cierta edad hay en nuestros clásicos.

ACTRIZ 1   No lo justifiques, porque el muy cínico nos
            dijo que así dábamos valor al empodera-
            miento de las mujeres de hoy en día. Y venga
            a cargar nosotras con los focos y los fardos
            del ciego desde Salamanca a Escalona.

ACTRIZ 2   ¿No querrías llevar un *trolley*, que estamos en pleno Siglo de Oro?

ACTRIZ 1   Si todavía lo vas a defender...

ACTRIZ 2   ¿Yo? Si no me da tiempo ni de quitarme el bigote del ciego para hacer de clérigo.

ACTRIZ 1   No te quejes, que lo tuyo es un reto interpretativo.

ACTRIZ 2   ¿Y cómo se interpreta a un buldero sin parecer un vendedor de seguros?

ACTRIZ 1   El público no sabe cómo hablaban los bulderos. Ponle maneras de agente de bolsa y asunto arreglado.

ACTRIZ 2   (*Diciéndolo muy deprisa.*) Vendo cien de telefónica, compro mil del Santander, vendo cien mil del BBVA...

ACTRIZ 1   Mét0elo cuando vendas bulas.

ACTRIZ 2   (*Al público.*) Como veis, algunas palabras y partes de la obra original se han modificado. Es probable que notéis estos cambios...

ACTRIZ 1   Pues como que pienso inventarme todos los gags que se me ocurran.

ACTRIZ 2   Pero dame bien los pies, no me quede en blanco.

ACTRIZ 1   (*Le da unos zapatos de época.*) ¡Los pies y los zapatos! Anda que no hacen daño estas antigüedades.

ACTRIZ 2   (*Se los rechaza.*) Pues quédate en deportivas, como yo.

ACTRIZ 1   ¡Buena idea! (*Se calza unas deportivas.*) Me encantan. ¿No le importará a la directora, verdad?

ACTRIZ 2   ¡Qué le va a importar! Es una directora enrollada.

ACTRIZ 1   Sí, muy enrollada. (*Se abrocha los cordones.*) Así estoy más cómoda. Y más moderna. Marcando tendencia.

ACTRIZ 2   Yo me conformo con terminar el ensayo sin equivocarnos.

ACTRIZ 1   Si nos olvidamos de algo, improvisamos.

ACTRIZ 2   ¿Y qué dirá la directora? Será joven, pero es la responsable de la puesta en escena.

ACTRIZ 1   Todo lo responsable que quieras. Pero cuando recibió la obra no se le ocurrió otra cosa que decir… ¡Qué original!

ACTRIZ 2   (*Con voz de la directora.*) Eso. Y en lugar de un niño mendigo, una niña pobre.

Actriz 1	Digo yo que por una vez que a las mujeres nos permiten hacer los personajes de los hombres no se va a hundir el mundo. (*Suena el móvil de la* Actriz 2.) Tu móvil. (*El móvil sigue sonando mientras la* Actriz 2 *continúa arreglándose el vestuario.*) ¿Vas a responder o no?

(Actriz 2 *coge el móvil y responde. Escucha un rato.*)

Actriz 2	(*A* Actriz 1, *susurrando.*) Es la directora.
Actriz 1	¿Qué pasa?

(*Pone el altavoz.*)

Directora	(*Voz en off. La voz sale de uno de los focos, que empieza a temblar.*) Chicas, tranquilas. Solo notaréis, en algunos momentos, decorados algo minimalistas, un poco más sencillos. Pero entendedlo como los restos de una civilización que ha quedado encallada, pero superviviente: como la nuestra. Esto que estáis haciendo es una creación de nuestro tiempo, en el que el mundo está plagado de guerras, inflación, cambio climático, crisis energética, inestabilidad laboral. Sé que es un trauma que no os apetece interpretar más. Pero esta situación nos llevará a una nueva realidad, empieza por vosotras creando la pieza, la historia, desde los propios ensayos. Vamos a responder a todo esto con amor y

rabia, a representar la revolución, el fin de todo, un nuevo comienzo.

(*Después cuelga.*)

ACTRIZ 1   Vamos, que no ha llegado tampoco la escenografía, vaya.

ACTRIZ 2   (*Al público.*) Pero muchos de los paisajes procedentes del texto original se han reelaborado igualmente mediante proyecciones y pantallas. Es parte del experimento. Lo utilizaremos para expresar inquietudes del presente que, a nuestro juicio, deberían destacarse. La obra empieza con un río. Oiréis, pues, un río; o sea, un pensamiento.

(*Se alza el telón.*)

ACTRIZ 1   Que comienza en el Tormes, es por lo que Lazarilla tomó el sobrenombre.

Nota:
   Cuando necesitamos mencionar por el nombre propio a ACTRIZ 1 y ACTRIZ 2, aquí usamos los nombres de las actrices que hicieron el estreno de la obra. Por ello a la ACTRIZ 1 se la llama Sole; y a la ACTRIZ 2, Pepa.

Escena 1
Lázara adulta escribe una carta

En primer término del escenario, LÁZARA *escribe en una mesa una carta.*

LÁZARA   (*Leyendo según escribe.*) Pues sepa Vuestra
Merced que me llaman Lázara de Tormes,
hija de Tomé González y Antonia Pérez, naturales de Tejares, aldea de Salamanca. Mi
padre, que Dios perdone, trabajaba en un
molino de agua junto a la ribera del río. Allí,
una noche a mi madre le sobrevino el parto,
por lo que casi puede decirse que nací en el
río. Por eso mismo todos me llaman Lázara
de Tormes. (*Levanta la cabeza y se dirige al
público.*) Sí Lázara, en femenino. Como lo
oyen. Soy y siempre he sido una mujer. ¿No
me creen? Soy y siempre he sido una mujer.
Dicen que no estoy mal. Y que tengo mucho
carácter y con una vida digna de ser contada.

ACTRIZ 2   Cuando publicó su historia, no la firmó. Que
no quería dar con sus huesos ante el Santo
Tribunal de la Inquisición. La hubieran que-
mado por hereje y por bruja. Así que dijo que
lo había escrito anónimo. Y se quedó tan fres-
ca. (*Pausa.*) Sepan ustedes…

LÁZARA   Vuestras Mercedes.

ACTRIZ 2   ¿Cómo?

LÁZARA   Que digas mejor Vuestras Mercedes, como se decía en el siglo XVI. Que no es que se lo estés diciendo sólo a las «Mercedes», o a las «Pilares… de la Tierra»…

ACTRIZ 2   Pues sepan Vuestras Mercedes que no nos inventamos nada, que en aquel siglo existió la *Lozana andaluza* y que fue escrita por un fraile. Y muchos años después se escribió *La pícara Justina*. O sea, que en aquella época también hubo muchas pícaras.

LÁZARA   Claro que las hubo, como que yo soy una de ellas. En fin, que he tardado siglos en aparecerme para que no sigan escribiendo bulos sobre servidora.

ACTRIZ 2   Porque hoy en día ser mujer, escritora, y actriz, está respetado.

LÁZARA   Ojalá… Pero aquí me tienen dispuesta a confesarles toda la verdad y nada más que la verdad. Y alguna mentirijilla.

ACTRIZ 2   Para sobrevivir, estas niñas pobres se dedicaban a ser guías de los ciegos y de las ciegas, porque no quiso nuestro señor Jesucristo solo quitar la vista a los hombres, sino también a las mujeres. Proliferaron, pues, lazarillos y lazarillas por todos los rincones de las Españas.

LÁZARA   Siendo yo una niña de apenas ocho años, encarcelaron a mi padre por no haber hecho bien las cuentas con los sacos de trigo. (*A la* ACTRIZ 2.) Pepa, quítate el bigote del ciego, no te adelantes.

(*La* ACTRIZ 2 *asiente con la cabeza.*)

ACTRIZ 2   ¿No sería por haber robado?

LÁZARA   Siempre tan simpática.

ACTRIZ 2   El caso es que su padre no negó las acusaciones y fue a la cárcel.

LÁZARA   Cuando encarcelaron a mi padre, mi madre se puso a servir en una taberna y se arrejuntó con un mulero negro de las caballerizas.

(*Se detiene.*)

ACTRIZ 2   ¿Ese no salió también un poco mangante? Porque también se lo llevaron preso.

LÁZARA   Fue por mala suerte.

ACTRIZ 2   Y por la poca vergüenza que tenéis en vuestra familia.

LÁZARA   Pues anda que tú…

ACTRIZ 2	¿Yo? Vergüenza ninguna… con la vergüenza no se come…
LOS DOS	…Ni se almuerza.
ACTRIZ 2	Bueno… ¿y qué hizo tu madre?
LÁZARA	Se metió a guisar y a lavar ropa. También empezó a frecuentar las caballerizas y ahí se hizo amiga del mulero negro… Zaide. A mí al principio me daba miedo, pero como luego traía pan y pedazos de carne, lo fui queriendo más.
ACTRIZ 2	Y tu madre también, porque se arrejuntó con él.
LÁZARA	Tanto se arrejuntó que tuvieron un hijo negrito muy bonito. Recuerdo que un día, viendo a mi madre y a mí blancas y a su padre no, el niño huía de él con miedo diciendo «¡Madre coco!». Y Zaide respondía riendo: «¡Hijo de puta!».
ACTRIZ 2	Cuántos debe haber en el mundo que huyen de otros porque no se ven a sí mismos… Bueno, y ¿qué pasó?
LÁZARA	Pues que el bueno de Zaide se animó a robar para darnos de comer. Y también se lo llevó la justicia. Así que mi madre se tuvo que ir a servir a un mesón.

ACTRIZ 2   Un día, limpiando la taberna, se presentó, como una aparición, un ciego de buena planta.

LÁZARA   (*A la* ACTRIZ 2.) Pepa, el bigote.

(*La* ACTRIZ 2 *reacciona, se pone el bigote.*)

Escena 2
Lázara entregada al ciego

En la taberna. LÁZARA *está limpiando la taberna. En la puerta, un* CIEGO.

CIEGO   ¡Ah de la taberna! ¿Tenéis una mesa libre para que este ciego de los caminos se pueda refrescar el gaznate?

LÁZARA   (*Al verlo, asustada, grita.*) ¡Madre, madre!

CIEGO   ¡Calla, niña, no grites!

LÁZARA   ¡Madre! Hay un ciego en la puerta.

CIEGO   (*Con voz severa.*) ¿Cómo te llamas?

LÁZARA   Lázara, señor.

(LÁZARA *lo invita con gestos a sentarse, pero el ciego no ve sus gestos. Por lo que, sirviéndose de su bastón, encuentra una silla y la mesa y se sienta.*)

CIEGO   (*A* LÁZARA.) Atiéndeme tú, ¿no ves que tu madre está ocupada?

LÁZARA   Si tú lo ves…

CIEGO   Parece que está retozando con tu padre.

LÁZARA   ¿Con mi padre?

CIEGO   Ese de ahí será tu padre.

LÁZARA   Como no sea de ultratumba.

CIEGO   ¿Y eso?

LÁZARA   Como lo llevaron a galeras, supongo que estará muerto.

CIEGO   Entonces, ¿está con tu padrastro?

LÁZARA   No, mi padrastro también está preso.

CIEGO   ¿Con el tabernero?

LÁZARA   ¿Y con quién si no, señor? Gracias a sus visitas, comemos.

CIEGO   Ya sabía yo que era con el tabernero.

LÁZARA   ¿Pero cómo lo sabes, si no ves?

CIEGO   Soy ciego, no sordo.

LÁZARA   Bueno… ¿Qué te sirvo?

CIEGO   ¿No seréis tu madre y tú tan generosas de darme una jarra de vino por misericordia? Yo podría rezarle una oración a San Benito para el dolor de muelas… ¿O no padecéis de los dientes como todo hijo de vecino?

LÁZARA   (*A voces.*) ¡Madre, el ciego pide una jarra de vino por misericordia! ¿Se la sirvo o no? (*Al* CIEGO.) Que dice que sí. (LÁZARA *le sirve la jarra de vino.*) ¿Y por qué llevas bastón?

CIEGO   Mala costumbre es esa de preguntar a un ciego.

LÁZARA   ¿Estás ciego de verdad? (*Y le hace un juego de manos para probar si ve, que provoque risas. Para sí.*) No ve nada.

CIEGO   De nacimiento.

LÁZARA   ¿Y cómo puedes caminar? (*Le sirve el vino.*) Aquí tienes la jarra.

CIEGO   (*La coge.*) En verdad te digo, muchacha, que el cielo te llenará de dones y preces para que nunca pases hambre.

LÁZARA   ¿Conoces las artes adivinatorias?

CIEGO   Puedo leerte el futuro.

(*Le coge la mano.*)

LÁZARA   ¿Y qué lees en mi mano?

CIEGO	Son unas manos muy trabajadas. Tienen callos y están ásperas, como de haber limpiado tabernas y establos.
LÁZARA	Me hacen trabajar mucho.
CIEGO	El vino te dará muchas alegrías, Lázara.
LÁZARA	¿Tú crees?
CIEGO	Estoy tan seguro como que la tierra es redonda.
LÁZARA	¡Qué va! Es más plana que la palma de mi mano.
CIEGO	¿Sabes leer?
LÁZARA	No, señor, que yo no voy a la escuela. Pero me gustaría aprender.
CIEGO	Así que quieres aprender. ¡Me gustas, Lázara! Pareces una moza despierta. Si no tienes inconveniente, yo podría adiestrarte en esto del vivir y darte un oficio, si tu madre consiente. Podrías ser mi criada para guiarme por los caminos de estas tierras. Muchacha, no desaproveches la oportunidad que Dios ha querido concederte al toparte conmigo. Es una señal divina. La suerte está de tu lado.
LÁZARA	(*A voces.*) Madre, yo quiero quedarme contigo… ¡No dejes que me lleve este ciego!

CIEGO   Conmigo nunca te faltará una hogaza de pan
             que llevarte a la boca. Estoy buscando mozo
             o moza de ciego y, Lázara, me pareces una
             muchacha despierta para aprender el oficio.
             Se me acaba el tiempo y la paciencia. ¿Qué
             me dices?

ACTRIZ 1   (*Sole. Al público.*) El caso es que yo pensaba
             que mi madre me iba a decir que me queda-
             ra con ella.

ACTRIZ 2   (*Pepa.*) Pero le dijo: «Hija, ya no te veré más.
             Procura ser buena y que Dios te guíe. Ya es
             hora de que te valgas por ti misma».

LÁZARA   En ese momento me di cuenta de que no vol-
             vería a ver a mi madre en mi vida. Y así co-
             mencé a servir a mi nuevo y viejo amo.

CIEGO   Después de estar en Salamanca, me pareció
             que no era buena la ganancia y determiné ir-
             nos de allí.

Escena 3
Por el campo con el ciego

> LÁZARA *y el* CIEGO *echan a caminar y topan con un toro de piedra, que hay a la salida de Salamanca.*

CIEGO (*Al público.*) Y nos encaminamos al puente de piedra que usábamos para cruzar el río Tormes y entrar y salir de la ciudad. Y allí me preguntó.

LÁZARA Señor, ¿qué animal es ese que se ve allí junto al puente?

CIEGO ¿Nunca lo has visto?

LÁZARA No, amo.

CIEGO Un toro de piedra mágico.

LÁZARA ¿Qué clase de prodigios hace?

CIEGO Acerca tu oído al toro y oirás un enorme ruido dentro de él como si fuera la cascada de un río. Vamos, ¿a qué esperas, Lázara? ¡Pon el oído! (LÁZARA *se aproxima ingenua al toro de piedra.*) ¿Oyes algo?

LÁZARA   Todavía no.

CIEGO   (*Al público.*) Pobre ingenua. No podía ima-
              ginarse lo que estaba a punto de sucederle.
              (*A* LAZARILLA.) ¡Pega más el oído a la piedra!
              (LÁZARA *obedece. en ese momento el* CIEGO *le
              da un bofetón que hace que la cabeza de* LÁZA-
              RA *se golpee contra el toro.* LÁZARA *se queja,
              grita y lloriquea…*) Necia, aprende que la
              moza del ciego ha de saber un punto más que
              el diablo. (*Y se echa a reír de su propia bur-
              la.*) Mira, Lázara, yo no te podré dar oro ni
              plata, pero sí buenas enseñanzas para la vida.
              Aprende a desconfiar de la gente para no re-
              cibir más golpes como el que te acabo de dar.

LÁZARA   Amo, ¿no tendrás algo para el dolor de ca-
              beza?

CIEGO   Ya se te pasará. ¿Cómo andas de oraciones?

LÁZARA   El Ave María me la sé entera.

CIEGO   (*Al público.*) Casi tanto como la cabeza le do-
              lía me hubiera reído a carcajadas al darle el
              golpe. (*A* LAZARILLA.) ¿Y el Padre Nuestro?

LÁZARA   Tan bien como el Señor Mío Jesucristo.

CIEGO   Pues reza un Padre Nuestro y un Ave María
              y se te pasará el dolor en un rato. Cuanto
              más reces, antes sanarás.

LÁZARA   ¿Y si no se me pasa el dolor? ¡Me duele mucho!

CIEGO   (*Al público.*) Desde aquella calabazada, Lazarilla empezó a alimentar el odio contra mí. (*A* LAZARILLA.) ¡Calla y reza!

LÁZARA   (*Rezando.*) Padre Nuestro, que estás en los cielos, santificado sea tu nombre...

CIEGO   Poco a poco se le fue pasando el dolor a la vez que iba despertando de su ingenuidad. La muchacha pensaba que debía despabilar, pues se hallaba sola, sin la protección de su madre. En el fondo reconocía que gracias a mí aprendió a vivir.

LÁZARA   Pues siendo ciego me alumbró y me adiestró en la carrera de vivir.

CIEGO   Nos vamos a Toledo, Lazarilla. Allí la gente es más rica, aunque no limosnera. Debes saber que «más da el duro que el desnudo». Donde hallemos buena ganancia, nos detendremos. Donde no, nos marcharemos.

LÁZARA   ¡Qué listo era!

CIEGO   ¡Calla, Lazarilla! ¿No oyes bullicio?

LÁZARA   Estamos entrando en una villa. Se acerca gente.

Ciego	Entonces, párate, que te voy a enseñar a cantar. Yo tocaré la pandereta y tú cantarás. Escúchame y luego cantas tú.
Lázara	Yo no he cantado nunca.
Ciego	Es muy fácil. Verás. (*Comienza a cantar. Canción por determinar.*) Ahora tú. Cuando yo comience con la pandereta, tú cantas. (*El Ciego toca la pandereta.*) ¡Vamos! ¿A qué esperas? (Lázara *cantando muy mal.*) ¡Para! ¡Para! Tienes que entonar con más tino y decirlo con gracia, con cierta ironía. Repítelo.

(*Toca la pandereta.* Lázara *canta* mejor.)

Lázara	Señor, viene gente.
Ciego	Cuando yo empiece a tocar la pandereta, cantas conmigo. ¿Está claro?
Lázara	Ya hay más de ocho mujeres mirándonos.
Ciego	Tú recoge las monedas que nos echen. (*A la supuesta gente.*) Damas y caballeros, gentiles campesinos y artesanos, parad vuestra actividad por un instante. Os vamos a cantar un romance de cordel. Su enseñanza es práctica. (*A* Lázara.) Lazarilla, canta conmigo. (*El Ciego comienza a tocar la pandereta.* Ciego *y* Lázara *cantando. Se oye el ruido de monedas.* Lázara *va recogiendo del suelo las monedas.*

Sigue cantando. Suenan aplausos y más ruido de monedas al caer.) Muy generosas vuestras mercedes. Lazarilla y yo agradecemos vuestra bondad. *(A* LÁZARA.*)* ¿Cuánto?

LÁZARA   Cinco maravedíes.

CIEGO   ¿No me engañas?

LÁZARA   No me atrevería. *(Al público.)* Ya estaba escarmentada de este ciego que veía con los oídos y oía con la nariz. Servidora no estaba dispuesta a recibir más golpes.

CIEGO   Más vale que no lo hagas, si no quieres padecer mi cólera.

LÁZARA   *(Al público y escribiendo su carta.)* No contaré más niñerías, pero aprendí cuánta virtud necesitan las personas para subir siendo bajas y cuánto vicio para bajar siendo altas.

CIEGO   ¿Qué dices? ¿Con quién hablas?

LÁZARA   Sola.

CIEGO   Pues calla y reza para aliviar el mal de la madre de esta joven. Dios te salve María, llena eres de gracia, bendita…

LÁZARA   Lo cierto es que no he conocido a nadie más astuto ni sagaz que el ciego.

CIEGO   No hacía más que quejarse, que si la mataba
         de hambre, que si la golpeaba. Pero se lo me-
         recía. Cuando nos daban una hogaza de pan
         completa, ella se comía la mitad y se guarda-
         ba la otra mitad en el fardel. Cuando me daba
         cuenta me ponía furioso. (*Furioso.*) ¿Qué dia-
         blos es esto, que desde que estás conmigo no
         me dan sino medias hogazas y antes me las
         daban enteras e incluso un maravedí me pa-
         gaban? En ti debe de estar la desdicha.

LÁZARA   Yo, no señor. (*Al público.*) Si no hubiera co-
         mido a sus espaldas, el ciego me hubiera
         matado de hambre.

CIEGO   No sé qué le gustaba más si mis hogazas de
         pan o el vino de mi jarrillo. Cuando comía-
         mos, Lazarilla me lo cogía y le daba un par
         de tragos y lo dejaba otra vez en su lugar.

LÁZARA   Cuando me descubrió, me fabriqué una pa-
         jita. (*Saca una paja de centeno que se ha cons-
         truido.*) Esta.

CIEGO   Como desconfiaba, no soltaba el jarro. Pero
         ella se las apañó para hacerle un agujero fino
         que tapaba con cera.

LÁZARA   Cuando se derretía, maldita la gota que yo
         me perdía.

CIEGO   ¿Cómo es posible que se acabe el vino tan
         pronto? ¿No serás tú, Lázara?

LÁZARA   Yo, no, yo, no. Yo no puedo ser, porque no lo sueltas de la mano.

CIEGO   Si te pillo, te daré la lección que mereces. (*Al público.*) Tantas vueltas le di al jarro que un día descubrí la trampa, mas disimulé y no le dije nada. La ocasión llegó bien pronto, un día que estábamos llegando a Almorox. En los viñedos nos cruzamos con dos campesinas. Una de ellas venía preñada y me pidió pronóstico. (*A la supuesta campesina.*) Déjame tocar esa barriga. Por el tamaño y la forma será varón y trabajará en el campo con tu esposo.

LÁZARA   Y le dijo a la otra…

CIEGO   Y tú, vete contenta, que pronto encontrarás marido.

LÁZARA   Y se fueron con tal felicidad que nos regalaron un racimo de uvas y un jarro de vino.

CIEGO   Lázara, siéntate a mi lado. Vamos a tomar las uvas que nos acaban de regalar las campesinas. Y yo me beberé el vino.

(*El* CIEGO *coge el jarrillo de vino y lo pone a su lado. Toma el racimo de uvas.*)

LÁZARA   (*Al público.*) Y cuando vi que el jarro lo dejaba a mi lado, lo cogía y daba tragos lo más rápido que podía.

CIEGO	Voy a ser generoso contigo y vamos a compartir este racimo de uvas. No te muevas tanto, que me haces daño en ciertas partes… ¡Para ya! (LÁZARA *deja de beber vino.*) Para que no haya engaño, tú cogerás una vez y yo otra, con tal de que me prometas no coger más de una uva cada vez. Yo haré lo mismo hasta que lo acabemos, y así no habrá engaño. Coge, Lázara, y luego cogeré yo. Vamos. (LÁZARA *y el* CIEGO *comienzan a comer. Enseguida el* CIEGO *empieza a coger las uvas de dos en dos. Como* LÁZARA *lo ve, hace lo mismo, y luego* LÁZARA *pasa a comer de tres en tres, casi sin tiempo para masticar. Así hasta que terminan el racimo. Entonces el* CIEGO *mueve la cabeza pensativo.*) Lázara, me has engañado.
LÁZARA	(*Finge sorpresa.*) ¿Yo, señor?
CIEGO	Juraría a Dios que tú has comido las uvas de tres en tres.
LÁZARA	(*Con miedo de haber sido descubierta.*) Yo, no, señor.
CIEGO	¿Sabes por qué sé que las has comido de tres en tres? En que mientras yo las estaba comiendo de dos en dos, tú callabas.
LÁZARA	(*Finge sorpresa.*) ¡No sé cómo desconfías de mí!

CIEGO ¡Bien, Lázara! Así tiene que ser una moza de ciego. Pero a partir de ahora emplea tus argucias para engañar a los demás, nunca a mí. (*La engaña.*) Ahora que ya has aprendido, descansa entre mis piernas, mientras yo me termino de beber mi jarro de vino. (LÁZARA *se recuesta confiada para poder beber mejor las gotas que caen del jarro.*) Algún día lo beberás tú. Yo te digo Lázara, que si una mujer en el mundo ha de ser bienaventurada con el vino, lo serás tú.

LÁZARA (*Al público.*) ¡Y qué razón tenía! Tiempo después entendía aquella profecía del ciego. Pues al fin y al cabo hoy vivo de pregonar los vinos de mi señor el Arcipreste de San Salvador. Pero siendo niña, no comprendía lo que me quería decir el triste y avariento amo.

CIEGO Este vino sabe a gloria, Lazarilla. (*Al público.*) Mientras tanto, la muchacha estaba recibiendo aquellos dulces tragos, puesta su cara hacia el cielo, un poco cerrados los ojos por mejor degustar el sabroso licor, cuando sintió...

LÁZARA Que esto es mío, Sole, no te embales. (*Al público.*) Cuando sentí que el desesperado ciego había decidido tomar de mí venganza y con toda su fuerza, alzando con sus dos manos aquel dulce y amargo jarro... (*A la* ACTRIZ 1.) Pepa, ten cuidado y no me des fuerte, que ayer mi hiciste un chichón.

ACTRIZ 2 /CIEGO	Tranquila, Sole. No te haré daño. Sigue.
LÁZARA	Alzando con sus dos manos aquel dulce y amargo jarro, lo dejó caer sobre mi boca. Y yo, que nada de esto aguardaba, sino que estaba descuidada y gozosa, me pareció que el cielo se había caído encima.

(*El* CIEGO *sostiene el jarro en alto y la golpea en la cabeza.*)

CIEGO	¡Ya no volverás a beberte mi vino, bribona, truhana!

(LÁZARA *grita de dolor.*)

LÁZARA	¡Ay, que me has partido la boca! ¡Ay, ay, que me muero!
CIEGO	Así a emprenderás a no engañarme.
LÁZARA	(*Al público.*) Fue tal el golpecillo que me dejó medio inconsciente. Y encima me curó con vino.
CIEGO	¿Qué te parece, Lázara? Lo que te enferma, te cura y te da salud. (*Al público.*) Desde aquel día me quiso mal.
LÁZARA	Y, aunque él me quería y me cuidaba, me di cuenta de que se había alegrado del golpe

que me había dado con el jarro de vino. Y así comencé a llevarlo a propósito por los peores caminos.

(*Echan a caminar los dos hasta que alcanzan la plaza de un pueblo, frente a un mesón.*)

CIEGO   Si había piedras, por ellas. Si barro, por el barro. Aunque ella se quebrara un ojo, se alegraba de quebrarme a mí dos. Aunque en verdad no tenía ninguno.

LÁZARA   Un día, caminando y caminando llegamos a un pueblo de la provincia de Toledo llamado Escalona. Fue entonces cuando me dijo muy amable.

CIEGO   Lázara, entra en el mesón (*Y le da una longaniza.*) y pide que te asen esta longaniza. Espera, no he terminado, con este maravedí compra pan y vino. Ponme la longaniza dentro de la hogaza de pan.

(*Mientras el* CIEGO *canta un fragmento del anterior romance de ciegos.* LÁZARA *vuelve con el pan, un nabo y el vino. Frente al público se come con fruicción la longaniza, sin que el* CIEGO *la oiga.*)

LÁZARA   (*Al público.*) Como me vi con apetito goloso, sintiendo el olor de la longaniza, solo sabía que la tenía que gozar.

CIEGO	Así que sustituyó la longaniza por un nabo y sin pensárselo se la zampó de un bocado. Fue entonces cuando me dio la jarra de vino y la longaniza convertida en nabo.
LÁZARA	Amo, aquí tienes tu longaniza asada.
CIEGO	¡Qué bien huele la condenada! ¡Trae que le dé un bocado! (*Coge el pan y el nabo. Lo muerde y escupe.*) ¿Qué es esto, Lazarilla?
LÁZARA	(*Asustada.*) ¡Lacerada de mí! ¿Qué te pasa?
CIEGO	(*Colérico.*) ¡No es longaniza, sino nabo asado, traidora, pícara, ladrona…!
LÁZARA	(*Mintiendo, con temor.*) Alguno de la taberna la cambiaría mientras yo estaba comprando el vino y la longaniza se asaba en el asador. ¡Soy inocente! ¡No pagues tu cólera conmigo, que solo quiero tu bien y procuro lo mejor para ti! (*Al público.*) ¡Qué bien mentía! Y hasta me lo creía.
CIEGO	(*Con dureza.*) No es posible. Ven aquí, que voy a comprobarlo oliéndote el gaznate.
	(*El* CIEGO *se acerca. La agarra mientras* LÁZARA *intenta defenderse.*)
LÁZARA	(*Al* CIEGO.) ¡Te juro que yo no he sido, por Dios te lo juro…! (*El* CIEGO *le abre la boca*

maldiciendo.) ¡Ay, ay, me haces daño…! (*Al público.*) ¡Era un animal! Tenía la nariz larga y afilada, y con el disgusto se le había aumentado un palmo. Con la punta de la nariz me tocó la campanilla.

CIEGO   Todo se le juntó. La longaniza no se le había asentado todavía en el estómago. Entre el miedo que Lazarilla tenía y mi nariz ahogándola, todo eso hizo que me devolviera la longaniza, que salió de su boca junto con mi nariz.

LÁZARA   Visto esto y, como el ciego no me quería, después de muchas aventuras, pensé en abandonarlo. Me atreví a hacerlo un día de lluvia en que salimos a pedir limosna.

(*Un técnico pasa por en medio del escenario para colocar una tela en el suelo.*)

CIEGO   Lázara, esta lluvia es muy molesta, y cuanto más se acerca la noche, más llueve. Vamos a la posada y descansemos allí esta noche.

LÁZARA   (*Al* CIEGO *con voz delicada.*) Tendremos que saltar un charco que hay justo delante de la posada.

CIEGO   Por el camino más rápido, que llueve mucho.

LÁZARA   Sí, sí; por el más rápido…

CIEGO — Eres lista, Lázara, y por eso te quiero bien. Llévame a ese lugar en donde el arroyuelo se estrecha, que es invierno y no quiero llevar más tiempo los pies mojados.

LÁZARA — Adelante unos pasos amo, un poco más…

CIEGO — (*Al público.*) ¡Por primera vez, iba a caer en la trampa!

LÁZARA — (*Al público.*) Pero si erraba el tiro, me molería a palos.

CIEGO — ¿Dónde?

LÁZARA — ¡Este es el paso más estrecho que hay en arroyo!

CIEGO — (*Al público.*) Como la lluvia arreciaba y Dios me cegó el entendimiento, me fie de ella. (LÁZARA *le mueve un poco.*) Ponme bien derecho y salta tú el arroyo.

LÁZARA — (*Lo coloca.*) ¡Ahí, justo ahí! (*Al público.*) Y lo puse bien derecho enfrente de la columna del soportal. Y doy yo un salto y me pongo detrás del poste como quien espera tope de toro y le grito: ¡ya estoy yo! ¡Ahora tú! ¡Salta! ¡Salta todo lo que puedas para que des de este lado del agua! (*Al público.*) Aún no había acabado de decirlo cuando se abalanza el pobre ciego como cabrón y con toda su fuerza

40

arremete, dando un paso atrás para hacer mayor el salto.

CIEGO   Allá voy.

(*Oscuro.*)

LÁZARA   (*Al público.*) Salta y da con la cabeza en el poste, que sonó tan recio como mi cabeza cuando me golpeó contra el toro de piedra de Salamanca.

CIEGO   Y caí luego para atrás, medio muerto y hendida la cabeza.

(LÁZARA *salta, baila y ríe de alegría.*)

LÁZARA   (*Al* CIEGO.) ¿Cómo, y oliste la longaniza y no la columna? ¡Olé! ¡Olé! ¡Hasta nunca más ver, mal ciego! (*Al público.*) Y ahí lo dejé tirado en el suelo sangrando por la cabeza. Y, como alma que lleva el diablo, eché a correr por las calles hasta salir de la ciudad… Afortunadamente, nunca más volví a saber del ciego.

ACTRIZ 2   No te aceleres, Sole, que no me da tiempo a cambiarme para hacer de clérigo.

ACTRIZ 1   ¡El bigote!

(ACTRIZ 2 *se lo quita.*)

Escena 4
Puerta de la iglesia y casa del clérigo

LÁZARA   (*Al público.*) Al día siguiente me fui a Ma-
               queda, donde me llevaron mis pecados con
               un clérigo, que, estando yo pidiendo limos-
               na, me preguntó.

               (*En ese momento sale el* CLÉRIGO *y se topa con*
               LÁZARA.)

CLÉRIGO   ¿Quién eres?

               (ACTRIZ 1 *señala la garganta a* ACTRIZ 2 *para
               que cambie la voz.*)

ACTRIZ 2
/CLÉRIGO   ¿Ah? Sí, sí, la voz. (*Con la voz cambiada.*)
               ¿Quién eres?

LÁZARA   (*Al* CLÉRIGO, *educada.*) ¿Yo, señor? Lázara.

CLÉRIGO   ¿Por qué caminas de forma extraña?

LÁZARA   Busco amo.

CLÉRIGO   ¿Sabes rezar?

LÁZARA   El Padrenuestro, el Ave María, el Credo y el
               Señor Mío Jesucristo.

CLÉRIGO   ¿Y ayudar a misa?

LÁZARA   Algo sé, señor cura. Además, aprendo rápido, que he sido criada de un ciego.

CLÉRIGO   Sujeta esto. (*Y le da un arcón pequeño.* LÁZARA *lo sujeta. el* CLÉRIGO *saca de su bolsillo una llave y cierra el arcón. Se guarda la llave.*) Ya no tienes que buscar amo. Entra en mi casa, que te enseñaré el oficio de asistir a misa y de ayudarme a recoger las limosnas de los fieles. Cuantas más monedas echen en el cepillo, mejor para los dos. No lo olvides. Sígueme.

(*El* CLÉRIGO *entra en la casa.* LÁZARA *se queda un momento sola ante el público.*)

LÁZARA   (*Al público.*) Escapé del trueno y di en el relámpago, porque el ciego, comparado con el clérigo, era un Alejandro Magno de la generosidad.

CLÉRIGO   (*Le da unos huesos sin carne.*) Toma, come, triunfa, que para ti es el mundo. Mejor vives que el Papa.

LÁZARA   (*Al público.*) En tres semanas que estuve con él, pensé que de pura hambre me iría a la sepultura. Ved lo que me pasó el primer día que fui a su casa.

CLÉRIGO	Deja el arca en mi cuarto y sírveme la comida. En la cocina encontrarás unas cebollas, queso y pan. Trae también una jarra de vino. (LÁZARA *obedece y sale de la habitación.*) En este baúl tengo el misal, el copón, los trajes de decir misa y el crucifijo. Lázara, ¿no lo estás viendo?

(LÁZARA *vuelve.*)

LÁZARA	Estaba en la cocina.
CLÉRIGO	Deja mi almuerzo en la mesa y ve revisando el baúl para que veas bien lo que hay dentro y, cuando te pida alguna cosa, la encuentres rápido. (*El* CLÉRIGO *se sienta a comer y* LÁZARA *va tomando objetos.*) Ese es el misal. Buenísimo este queso de cabra. Para chuparse los dedos. Y ese es el copón. Tendrás que ponerle las formas sagradas para que mañana en la misa las pueda consagrar. Este queso de la Mancha es exquisito. La estola, me la pondrás encima del traje. El queso con pan es un manjar de obispos... Lázara, tú ya habrás comido, ¿verdad?
LÁZARA	No, señor. (*Al público.*) No había manera de comer. Ni con el ciego ni con este.
CLÉRIGO	Anda, deja todo dentro del baúl, y come conmigo. (LÁZARA *guarda todo y se queda de pie. El* CLÉRIGO *le pasa un plato con las cortezas de queso.*) Toma, come estas cortezas de queso y aprovéchate de mi generosidad contigo.

LÁZARA   ¿Las cortezas? (*Al público.*) ¿Se podía ser más avaro? ¡Cómo podía serme tan adversa la fortuna!

CLÉRIGO   Sí, come, sácales el jugo a las cortezas del queso y triunfa. Mira, moza, que los sacerdotes han de ser muy comedidos en el comer y el beber. Y por eso yo no como mucho.

(LÁZARA *adulta se adelanta al proscenio.*)

LÁZARA   (*Al público.*) Y yo menos. Me daba los huesos, las cortezas del queso y un par de cucharadas de caldo... Yo con eso me moría de hambre. Muy caritativo no parecía.

CLÉRIGO   (*Al público mientras se cambia.*) Yo vigilaba el cestillo donde nos daban las limosnas para que Lazarilla no se quedara con ninguna moneda. (*El* CLÉRIGO *sale vestido para decir misa. Improvisa un altar. Y comieza a decir misa.*) El Evangelio de hoy nos habla de la caridad cristiana, del amor al prójimo. Quien esté libre de pecado que arroje la primera piedra, nos enseñó nuestro señor Jesucristo. Nadie se atrevió a lanzar una piedra contra la prostituta, porque todos los allí reunidos se sabían pecadores. Esta es la grandeza de Jesús, que es el amigo de los pobres, de los desprotegidos, de los perseguidos... Por eso Jesús quiere que vosotros sigáis su ejemplo y seáis generosos con la iglesia que Él fundó para lograr la salvación de vuestras almas.

(*En voz baja. A* LÁZARA.) El cepillo, vamos, ve pidiendo. (*A todos.*) ¿Es que no os conmueve el Evangelio de hoy? Jesús os quiere generosos con la iglesia. Quiere que este cepillo que está pasando Lázara se llene de maravedíes antes de que se canse de ver la dureza de vuestros corazones. ¡No oigo sonar ninguna moneda! ¿Es que queréis que la cólera de Dios os amenace con olas de calor insoportables y epidemias incontroladas de la peste contra vosotros y vuestros hijos? ¡Locos, atrevidos ignorantes, no provoquéis a Dios con vuestra tacañería! Todavía estáis a tiempo de evitar su cólera si la bolsa de vuestros dineros la abrís y echáis monedas al cestillo, que humildemente pasa Lázara junto a vosotros... (*A* LÁZARA *en voz baja.*) Insiste, Lázara, que ya están a punto de aflojar la bolsa. (*En voz alta.*) No un maravedí, ni diez... Depende de vuestra generosidad. Si queréis la salvación eterna, debéis rascaros la bolsa y echar un buen puñado de monedas... ¡Miserables, tacaños, corazones de piedra, duros como el mármol, el Señor os castigará con las penas más duras del infierno! ¡Sinvergüenzas, egoístas, fariseos, sepulcros blanqueados, que venís a la iglesia a rezar y no sabéis compartir vuestro pan con los ministros del Señor! ¿Es que no se os rompen las entrañas, es que no sentís el temor de Dios, avariciosos pecadores? (*Efecto de sonido de monedas cayendo en el cestillo.*) ¡Bien! Ya va sonando el cestillo... Vuestros corazones comienzan a ablandarse. La voz de Dios, toda dulzura, empieza a penetrar en vuestros corazones... Seguid así, continuad echando monedas y ganaréis la paz eterna... (*Efecto de sonido de monedas.*) Dos nuevas almas que se están ganando la salvación. Pero hay otras almas necesitadas de reconciliación con Dios. (*Nuevo efecto de monedas.*) Ahí está vuestra grandeza acercándose a lo que os pide, que digo pide, exige nuestro Señor Jesucristo, gene-ro-si-dad con la iglesia... ¡Ahí, llenando el cestillo con vuestras limosnas! ¡Muy bien! Os felicito. Dios está con vosotros ahora. Dios nuestro Señor, que todo lo ve desde su gloria, os agradece esta generosidad para con sus hijos de la iglesia. Ahora os ponéis de pie y rezáis conmigo. (*A* LÁZARA, *en voz baja.*) No te lleves ni media blanca, que te estoy vigilando con el rabillo del ojo. (*A los asistentes imaginarios.*) Hijos míos, la paz de Dios esté con vosotros. (LÁZARA *lleva el cesto al* CLÉRIGO, *que mete la mano y se lo guarda todo mientras termina la misa.*) Podéis marchar en paz.

LÁZARA   Demos gracias a Dios.

CLÉRIGO   (*Al público.*) Lázara pensó muchas veces en abandonarme, pero se decía a sí misma... «Has tenido dos amos. El primero te traía muerta de hambre. Lo dejaste y te encontraste con este otro, que te tiene ya con un pie en la sepultura. Pues si dejas a este, y das con otro peor, ¿qué será de ti?»

LÁZARA   (*El* CLÉRIGO *sale de escena. Al público.*) En estos pensamientos estaba, cuando quiso mi fortuna o mi mala fortuna que llegara a casa del clérigo un ángel caído del cielo en forma de cerrajero. Se parecía al clérigo y al ciego, pero era el cerrajero. (*A la* ACTRIZ 1.) Pepa, las llaves… (*La* ACTRIZ 1 *recoge un manojo de llaves de un mueble.*) Al no ver a mi amo, encontré la oportunidad de hablar con él. (*Entra el* CERRAJERO.) Os veo muy afligido, señor.

CERRAJERO   Tengo grandes pecados de los que arrepentirme.

LÁZARA   Dios todo poderoso se apiadará de vos si sois buen cristiano.

CERRAJERO   A eso he venido. A rezar por mis pecados y a confesarme con el señor cura. Avísale.

LÁZARA   Ha salido.

CERRAJERO   ¿Y tardará mucho en volver?

LÁZARA   Ha ido a un velatorio. Y cuando acude a casa de los muertos, pasa allí gran tiempo. Volved mañana mejor.

CERRAJERO   Mis pecados no pueden esperar tanto tiempo.

LÁZARA   Yo podría ayudaros a que vuestros pecados fueran perdonados antes.

CERRAJERO   ¿Tú? ¿cómo?

LÁZARA   Podría rezar en vuestro lugar todas las ora-
             ciones que necesitéis… Es mi oficio.

             (LÁZARA *se pone a recoger el altar y a guardar
             las cosas en el baúl.*)

CERRAJERO   ¿Tú rezarías en mi lugar?

LÁZARA   Sí… si me ayudáis y no le contáis nada a mi
             señor.

CERRAJERO   ¿Rezarías diez rosarios por el perdón de mis
             pecados? Un Padre Nuestro, diez Ave Marí-
             as, un Gloria al Padre y así cincuenta veces.

LÁZARA   En cuanto os diga lo que me pasa, comien-
             zo a rezar.

CERRAJERO   Antes dime cómo te llamas.

LÁZARA   Lázara, para servir a Dios y a Vuestra Mer-
             ced. Y ahora escuchadme.

CERRAJERO   Habla, moza. (*Actriz 1 se encoge de hombros
             como diciendo que no recuerda el texto.*) ¿Acaso
             has perdido la llave de esta arca y temes que
             tu señor te azote cuando regrese del velatorio?

LÁZARA   (*Le muestra el arca.*) ¡Eso es!

CERRAJERO
Y quieres saber si alguna de mis llaves puede abrir el arca, ¿no? (*LAZARILLA asiente con la cabeza.*) Veamos… (*Empieza a mirar entre el montón de llaves que lleva. LÁZARA comienza a rezar en voz baja y no para hasta que el CERRAJERO se va.*) Esta no vale… Ni esta otra tampoco… Veamos con esta otra más pequeña… ¡Vaya! Está difícil. La cerradura tiene holgura…

LÁZARA
Por el amor de Dios, no os iréis sin abrirla, ¿verdad?

CERRAJERO
Tú sigue. No te saltes ninguna, por favor, que está en juego el perdón de mis pecados. No juegues con estas cosas. Procura poner atención…. Esta va bien, va bien… ¡Ya está!

(*El arca está abierta. LÁZARA se calla y se maravilla al ver el arca abierta.*)

LÁZARA
¡Bendito seáis vos y vuestra parentela, que mi amo no me dará hoy una paliza!

CERRAJERO
Me voy, Lázara… No te olvides de rezar las oraciones.

LÁZARA
Un momento, señor.

CERRAJERO
¿Sí?

LÁZARA
No podemos dejarla abierta sin que mi amo sospeche y me pregunte: ¿por qué está abierta el arca?

CERRAJERO   Pues la cerramos de nuevo. Y así no sospe-
chará nada.

LÁZARA   Y me dará la paliza por haber perdido la llave.

CERRAJERO   ¿Quieres que te dé esta llave como si fuera la original? (LÁZARA *asiente.*) Pues dame una hogaza de pan como recompensa. (LÁZARA *le da el pan.*) Tu amo no se enfadará contigo.

LÁZARA   Y yo rezaré vuestras oraciones y cien Ave Marías más para aliviar cuanto antes vuestra conciencia.

CERRAJERO   Está bien, Lázara, toma.

(*Le da la llave.*)

LÁZARA   ¡Gracias, gracias!

CERRAJERO   Sigue rezando. ¡Hasta el final!

(*El* CERRAJERO *sale.* LÁZARA *sigue rezando. Mira desde la puerta y, una vez que se ha ido, deja de rezar. Se acerca al arca y coge un pan, le da unos bocados y vuelve a guardar el pan en el arca y la cierra con su llave, que se la guarda. Muy contenta coge una escoba y se pone a barrer. Entra el* CLÉRIGO *sin decir nada.*)

LÁZARA   ¿Ya terminó el velatorio?

CLÉRIGO   Tengo hambre. Comeré pan. Lázara, el arca.

LÁZARA   ¿Ahora, tan pronto?

CLÉRIGO   Vamos. ¿A qué esperas?

LÁZARA   (*Asustada.*) Pan a estas horas es una locura.

CLÉRIGO   ¡Que me traigas el pan, te he dicho! ¿O es que no voy a poder comer pan cuando tengo el arca llena de hogazas? ¡Vamos, no te quedes ahí quieta! (LÁZARA *le trae el arca y sigue barriendo. El* CLÉRIGO *se sorprende al abrir el arca.*) Si no tuviera tan a buen recaudo esta arca, diría que alguien se ha llevado algún pan. Lázara, ayúdame a contarlos. (*Le va dando a* LÁZARA *un pan detrás de otro mientras los cuenta.*) Uno, dos, tres, cuatro, cinco, seis, siete, ocho, nueve y un pedazo grande. Mételos todos. (LÁZARA *obedece.*) Menos mal que la viuda me ha vuelto a dar un presente. (*Se lo da a* LÁZARA.) Dos longanizas, que me cenaré ahora. Anda, Lázara, ásalas bien, que como sacerdote quiero ser muy justo en el comer y en el beber… Tú podrás cenar hoy unas cuantas cebollas y un pedacito de pan. Estás de suerte por lo de la viuda.

          (*El* CLÉRIGO *se retira.* LÁZARA *en primer plano.*)

LÁZARA   (*Al público.*) En los velatorios y los entierros siempre nos ofrecían de comer y nos poníamos hasta las botas. Por eso yo deseaba y aún rogaba a Dios que cada día tuviéramos nuestro muerto… Gracias al cerrajero, me consolaba comiendo trocitos de pan…. Pero no podía llevarme ninguno entero, porque el avaro de mi amo los tenía bien contados.

(*Mientras, el* CLÉRIGO *coge un pan y se lo muestra a* LÁZARA.)

CLÉRIGO   Mira, Lázara, yo no hago más que tapar el arca y cada noche aparece un nuevo agujero y el pan desmigajado…

LÁZARA   ¿Y qué cosa puede ser?

CLÉRIGO   ¡Qué ha de ser! ¡Ratones!

LÁZARA   ¿Ratones?

CLÉRIGO   Cómete ese trozo, que han mordisqueado los ratones, que el ratón es un animal muy limpio.

LÁZARA   Sí, mi amo.

CLÉRIGO   Nunca habíamos sentido ratones en esta casa sino ahora. ¿No te parece raro?

LÁZARA   Es una casa vieja. Y en las casas viejas, ya se sabe.

CLÉRIGO   Por eso tenían que haber estado antes. Y no aparecer de repente.

LÁZARA   (*Mintiendo.*) Pues han aparecido ahora.

CLÉRIGO   ¿Y tú crees que los ratones pueden hacer tantos agujeros en estas maderas? No, Lázara, no. Eso no es posible.

LÁZARA   ¿Entonces es el diablo?

CLÉRIGO   ¡Peor que el diablo! ¡Una culebra!

LÁZARA   ¿Una culebra en esta casa? ¿Y de dónde ha salido?

CLÉRIGO   Esta mañana un vecino me ha dicho que recordaba que antes de mudarme yo aquí solía andar por esta casa una culebra. Y como es larga, puede tomar el cebo, y aunque le pille la trampilla encima, como no entra toda dentro de la trampa, vuelve a salir. Esa es la razón por la que nunca caen los ratones en las trampas y cada mañana aparece el arca con un nuevo agujero y el pan mordisqueado.

LÁZARA   ¿Mande?

CLÉRIGO   Ve preparando los jergones para dormir, que yo voy a preparar un garrote por si esta noche descubro a la culebra cerca de nosotros. No permitiré que te muerda. (*Al público.*) Lo de la culebra me trastornó. Hablaba solo por el día y soñaba en voz alta por las noches. Algunas veces me despertaba alterado y me liaba a garrotazos con el arca, que al día siguiente debía volver a reparar, claro está. Pensaba que así espantaba a la culebra.

LÁZARA (*Al público.*) ¡Estaba enloquecido! Por todo aquello que lo tenía tan nervioso, tuve miedo de que descubriera la llave entre las pajas.

CLÉRIGO (*Al público.*) Y así Lázara decidió dormir con la llave en la boca sin recelo de que yo diese con ella. Una noche quisieron los hados que, estando la muchacha dormida, la llave se le pusiera de tal manera en la boca, que debía de estar abierta, que el aire que ella echaba salía por el hueco de la llave haciendo un sonido como de silbido.

LÁZARA (*Lo imita.*) Como si fuera el de una culebra.

(*Con el silbido el* CLÉRIGO *se levanta. Coge un candil y un garrote y nervioso avanza hacia el camastro de* LÁZARA, *que ya permanece en silencio. Detrás de los paneles, haciendo sombras.*)

CLÉRIGO ¿De dónde viene ese ruido? ¡Ya te oigo, vil culebra! Lázara, no te muevas, no te despiertes, que la culebra ronda tu cama… Tranquila, muchacha, que la culebra, ya no nos turbará más el sueño…Ahí está, junto a tu cabeza… ¡Ya te tengo! ¡No te me escapas! (*Levanta el garrote y golpea con fuerza la cabeza de* LÁZARA.) ¡Toma y toma, culebra! ¡Estarás ya muerta! (LÁZARA *gimotea casi inconsciente. El* CLÉRIGO *se acerca a* LÁZARA *con el candil.*) ¿Qué es eso que sale de tu boca? ¿No te habré matado? No, no... Respira... (*Aproxima su mano a la boca de* LÁZARA *con miedo.*) ¿Qué veo? ¿Qué es esto? Una llave parece... Lázara, ¿qué llave es esta?

LÁZARA   (*Sin poder hablar.*) ¿Llave, amo?

CLÉRIGO   ¡Es la llave del arca! ¡Bribona, canalla, mala moza!

LÁZARA   (*Al público.*) Recibí tantos garrotazos que pienso que mejor hubiera sido haberme quedado allí sepultada. Pero no había llegado mi hora. Al día siguiente de lo de la culebra, al levantarme, mi señor me tomó de la mano y me sacó a la calle y ya fuera de su casa me dijo.

CLÉRIGO   Lázara, desde hoy ya eres tuya y no mía. Busca amo y vete con Dios, que no te quiero en mi compañía. Cómo se nota que has sido criada de un ciego.

(LÁZARA *echa a caminar por las calles.*)

Escena 5
Episodios con el hidalgo

LAZARILLA *mendiga por las calles de Toledo…*

ACTRIZ 2   Comienza la segunda parte del experimento.

ACTRIZ 1   Hemos logrado captar muchos fragmentos originales.

ACTRIZ 2   Espera, Sole, que me ponga la capa… Ya.

ACTRIZ 1   El experimento se reanuda con la inesperada visita del Hidalgo.

ACTRIZ 2   Recordaréis que de hidalgo solo tenía el nombre. El resto de la historia nos lo revelará él mismo.

LÁZARA   (*Al público.*) Muy pronto tuve la fortuna de toparme con un escudero, bien vestido, bien peinado y de porte elegante, como si nunca hubiera pasado hambre.

              (*El* HIDALGO *se detiene y se queda mirando fijo a* LÁZARA*, que se para y se queda en actitud de modestia.*)

HIDALGO   Muchacha, ¿cómo te llamas?

Lázara	Lázara.
Hidalgo	¿Qué haces aquí?
Lázara	Busco amo.
Hidalgo	Pues vente conmigo, que Dios te ha hecho un gran favor al encontrarme.
Lázara	Por tu vestir pareces gente de bien.
Hidalgo	Soy escudero, de familia y orígenes noble. (*Suena el reloj de la iglesia dando las once.*) Lázara, a las once yo acostumbro a oír misa. Espérame en la puerta.

(*El* Hidalgo *entra en la iglesia.*)

Lázara	(*Al público.*) Yo estaba muy contenta, pensando que por fin viviría en la opulencia y mi señor tendría criados que se ocuparían de comprar para comer.

(*El* Hidalgo *sale de la iglesia.*)

Hidalgo	Lázara, vamos paseando por la ciudad y me vas contando cómo has llegado a Toledo y de dónde eres.
Lázara	Soy de Salamanca. (*Falsa.*) Y he tenido muchas aventuras con un ciego muy cariñoso que me instruyó y también con un clérigo muy generoso que me enseñó a ayudar en

misa... (*Al público.*) Y así nos dieron las doce, la una, las dos y las tres. Y el hambre seguía llamando a la puerta de mi estómago, que no hacía más que protestar: «¿Grrrr!». Pero no me atrevía a decirle nada no fuera a pensar que era una glotona... ¡Qué tonta!

(*Frente a una casa desvencijada.*)

HIDALGO   Esta es mi casa.

LÁZARA   (*Decepcionada.*) ¿Esta, señor? ¿No te equivocas?

HIDALGO   Entra, Lázara.

(*Entran en la casa. El* HIDALGO *se quita la capa y se sienta en una silla. La casa es muy pobre y oscura.*)

LÁZARA   (*Al público.*) La casa daba miedito.

HIDALGO   Ayúdame a doblar la capa.

LÁZARA   (*Lo ayuda.*) Sí, señor.

HIDALGO   Tú, moza, ¿has comido?

LÁZARA   No señor, que era temprano cuando te encontré.

HIDALGO   Pues yo ya había almorzado. Y, cuando como a esas horas, no tengo hambre hasta la noche.

Por eso, pásalo como puedas, que luego ya cenaremos.

LÁZARA   Señor, moza soy, que puedo pasar el día entero sin comer.

HIDALGO   Por eso yo te querré más, porque el comer abundante es cosa horrible de animales y el comer poquito es propio de personas nobles y elegantes.

LÁZARA   ¡Ah! Pues yo debo ser muy elegante. Pero con tu permiso comeré un mendrugo de pan.

(*Saca un trozo de pan y empieza a comerlo.*)

HIDALGO   Por mi vida, que este parece buen pan.

LÁZARA   ¿Qué dices? Si está seco y duro.

HIDALGO   Seguro que ha sido amasado por manos limpias de mujer.

LÁZARA   Eso ni lo sé ni me importa. Toma.

HIDALGO   (*Comiendo un poco de pan.*) Está sabrosísimo, Lázara. (*El* HIDALGO *se levanta y trae un jarro a la mesa.* LÁZARA *le sonríe.*) ¿Quieres un trago?

LÁZARA   Señor, yo no bebo vino.

HIDALGO   Es agua, Lázara. Puedes beber toda lo que quieras.

          (LÁZARA *coge el jarro y bebe agua.* LÁZARA *se acerca al proscenio.*)

LÁZARA   (*Al público.*) Así estuvimos hasta la noche hablando de cosas que me preguntaba. Yo le mentía lo mejor que podía. Le contaba mis bondades y me callaba mis maldades.

HIDALGO   Lázara, se nos ha hecho tarde con tanta conversación. Pasemos como podamos la noche y mañana, de día, ya iremos a comprar comida. Porque yo, al vivir solo, no estoy provisto de viandas. Estos días he comido fuera. Más a partir de ahora lo haremos de otra manera.

LÁZARA   Señor, no tengas pena por mí, que también puedo pasar una noche sin cenar.

HIDALGO   Vivirás más y más sana.

LÁZARA   Pues entonces no moriré nunca. (*Al público.*) Y así nos fuimos a acostar en un colchón sin lana y unas sábanas acostumbradas a no lavarse. Y pasamos la noche con las tripas protestando de hambre.

          (LÁZARA *y el* HIDALGO *se acuestan en los jergones. Efecto de luz que hace que pasemos de la noche al día. A la mañana siguiente, el* HIDALGO, *ya levantado, despierta a* Lázara, *quien lo escucha desde el jergón.*)

HIDALGO   Lázara, cuida la casa, que voy a oír misa. Cuando puedas, ve al río a llenar la vasija de agua. Y cierra la puerta cuando salgas, no nos roben los ladrones.

(El HIDALGO *se pone las botas y la capa. Con su elegante porte sale a la calle.* Lázara *ordena su jergón, coge la vasija de agua y sale a la calle.*)

LÁZARA   (*Al público.*) A misa no fue, porque lo vi junto al río riéndose muy alegre con dos mujeres. Así que me escondí. Él les decía dulzuras y ellas le pedían almorzar o aligerar la bolsa. Ilusas. Poca bolsa tenía mi amo.

(El HIDALGO *entra corriendo en escena y se encuentra con* Lázara, *que sostiene la vasija.*)

HIDALGO   ¿Qué haces aquí?

LÁZARA   Iba al río a por agua.

HIDALGO   Volvamos mejor a casa.

LÁZARA   ¿Le persiguen?

HIDALGO   ¿Pero tú qué has oído?

LÁZARA   ¿Yo? Nada. (*Al público.*) Pero yo lo había visto y oído todo.

HIDALGO   ¿Qué llevas en la faltriquera?

LÁZARA   Comida.

HIDALGO   ¿No la habrás robado?

LÁZARA   No, señor. Camino del río, iba pidiendo limosna. Y las buenas gentes me han dado esto que ves. Y este pan.

HIDALGO   Haces bien, que más vale pedirlo por caridad que no hurtarlo. Pero que nadie sepa que vienes conmigo, por lo que toca a mi honra.

LÁZARA   Pierde cuidado, yo chitón.

          (*Entran en casa.*)

HIDALGO   Y ahora, come, pecadora, que, si a Dios place, pronto viviremos sin necesidad. Aunque te digo que desde que entré en esta casa, nunca me ha ido bien. Mas yo te prometo que, acabado el mes, nos mudaremos a otra.

LÁZARA   (*Al público.*) A mi amo se le salían los ojos de las órbitas. ¡Qué lástima! Estaba deseando que me pidiera algo. Seguro que no había desayunado ni comido.

HIDALGO Te digo, Lázara, que tienes en comer la mejor gracia que en mi vida he visto a nadie. Y me pones las ganas de comer, aunque no las tenga, solo con verte comer con tanto placer.

LÁZARA Señor, este pan esta sabrosísimo y el queso está para chuparse los dedos.

HIDALGO ¿Es queso de cabra?

LÁZARA Sí, señor.

HIDALGO El queso de cabra es el mejor bocado que un hombre puede echarse a la boca.

LÁZARA Pues prueba, señor, y verás qué rico está.

(El HIDALGO *se acerca, coge un trozo y come con ansia.*)

HIDALGO En verdad que tenías razón. Es el más rico manjar que he comido en mi vida. Por Dios, que me está sabiendo como si hoy no hubiera probado bocado en todo el día.

LÁZARA (*Al público.*) Al día siguiente me encaminé por las calles para llevar de comer a casa. De repente me crucé con un muerto al que llevaban en andas y oigo a su mujer decirle: «¿Adónde te llevan? ¿A la casa triste y desdichada en la que nunca comen ni beben?»

(LAZARILLA *lo grita varias veces, asustada.*)

HIDALGO	¿Qué es eso, moza? ¿Qué voces das? ¿Qué pasa? ¿Por qué cierras la puerta?
LÁZARA	Señor, que nos traen un muerto a casa.
HIDALGO	¿Qué dices?
LÁZARA	Que anda una viuda diciendo al cadáver de su marido que lo llevan a la casa donde nunca se come ni se bebe.
HIDALGO	(*Se ríe.*) No te asustes, que lo llevan al cementerio. Anda, abre la puerta y ve en busca de comida.
LÁZARA	Deja que acaben de pasar la calle. (*Al público.*) Así estuvimos un rato con la puerta cerrada. Antes de salir a buscar comida, mi amo me dijo.
HIDALGO	Eres muchacha y no sientes las cosas de la honra. Pero tienes que saber que soy un hidalgo. Y que un hidalgo debe cuidar su honra. El primer mandamiento de la hidalguía es el de no trabajar y vivir de sus bienes.
LÁZARA	¿Y tú qué bienes tienes, si apenas podemos comer?
HIDALGO	No creas que soy tan pobre. Tengo en Valladolid un solar de casas que valdrán más de doscientas veces mil maravedís. Y tengo un palomar, que, a no estar derribado, daría cada

año más de doscientos palominos. Y otras cosas que me callo, que dejé por lo que tocaba a mi honra. Y vine a esta ciudad pensando que hallaría un buen asiento, mas no han pasado las cosas como yo había pensado. He visitado a canónigos y señores de la iglesia, a caballeros de media talla, pero ninguno quiere que le sirva como escudero.

(*El* HIDALGO *sale de escena.*)

LÁZARA   (*Al público.*) Me fui quedando dormida mientras hablaba y hablaba, hasta que me despertaron voces aporreando la puerta. Mi señor no estaba. Eran los alguaciles, que venían en su busca, porque hacía meses que no pagaba el alquiler de la casa. Y yo les respondí: «Señores, según me ha dicho mi amo, tiene un buen solar de casas y un palomar derribado, con los que podrá pagar su deuda». Pasaron los días, volvieron los alguaciles y el hidalgo había desaparecido. En fin, que mi tercer amo, tan guapo y simpático, me dejó y huyó de mí.

Escena 6
El buldero

Entra la ACTRIZ 1 *vestida de* BULDERO.

BULDERO   ¡Vendo cien de Telefónica, compro mil del Santander, vendo cien mil del BBVA...! Fieles devotos de la Virgen María, fieles amigos de oraciones, yo os traigo la salvación si compráis estas bulas de la Santa Iglesia Católica... Hago milagros en nombre de Dios.

LÁZARA   (*Al público.*) Mi amo el buldero, el mayor echador de bulos, digo de bulas, que jamás nadie ha podido ver.

BULDERO   Es posible que muchos de vosotros no creáis en mis palabras. Pero la ciudad está llena de pecadores que deben arrepentirse. En mí no hay engaño.

LÁZARA   Sin duda, era el mejor de los engañadores. Con él aprendí a engañar sin cometer un solo error. Así, como él, quería ser yo.

BULDERO   «A priori ipso facto un maremágnum sui generis. Excusatio non petita, acusatio manifesta. In pace resquiescat rictus post mortem ecce homo. Idem de idem ad libitum es vox populi y un totum revolutum. Vade retro in tabula rasa groso modo. Ergo ex profeso quid pro quo carpe diem urbi et orbi».

LÁZARA   Un día en La Sagra de Toledo estando mi amo en pleno sermón, entra el alguacil y comienza a decir:

BULDERO   (*Con voz de alguacil.*) «Buenos hombres, aquí el buldero que os predica me engatusó para que os engañase y repartiéramos las ganancias. Ahora por mi conciencia y honor, arrepentido, os declaro que las bulas son falsas, que no las creáis y no las toméis».

LÁZARA   Entonces el buldero le rogó al Señor que mostrara allí mismo el milagro…

BULDERO   …y sea de esta manera. Si es verdad lo que ese hombre dice, que este púlpito se hunda conmigo y se meta dentro de la tierra, donde yo nunca aparezca. Y si es verdad lo que yo digo y este hombre dice maldad, sea castigado y conocida su malicia por todos.

LÁZARA   (*Al público.*) Vamos, que el alguacil fingió un desmayo. Y el pueblo comenzó a gritar al unísono: «¡El señor te socorra!», «¡Válgate Dios!», «¡Mentiroso!»

BULDERO   (*Anima al público a gritar.*) «¡El señor te socorra!», «¡Válgate Dios!», «¡Mentiroso!»

(LÁZARA y el BULDERO *involucran al público para que diga estas frases.*) «El señor te socorra». «¡Válgate Dios!». «Bien empleado por levantar falsos testimonios». «¡Mentirosooooooooooooo!». (BULDERO *continúa.*) Decís bien, buenos hombres. Nunca hay que devolver mal por mal, sino bien por mal, tal y como nos enseña nuestro Señor Jesucristo. Así que vamos a rezarle un Padre Nuestro para que lo devuelva a la vida. Lazarilla, comienza.

LÁZARA   Padre nuestro que estás en los cielos...

BULDERO   La ofensa ha sido tan grande que Dios nos pide que recemos todos juntos una letanía. (LAZARILLA *anima al público y reza a la vez.*) Santificado sea tu nombre, venga a nosotros tu reino.

LÁZARA   (*Con voz de alguacil.*) ¡Perdón, perdón!

BULDERO   (*Al público.*) Y las gentes empezaron a gritar «¡Milagro, milagro!»

LÁZARA
/BULDERO   (*Anima al público a gritar.*) ¡Milagro, milagro!

BULDERO   (*Al público.*) Las gentes nos compraron bulas y más bulas. No sé cuántos maravedís recogimos aquel día. Porque una parte fue para el alguacil, que tan bien había interpretado su papel.

LÁZARA   Ahí aprendí que ni la justicia era justicia ni había persona honrada que viviera bien sin estafar a los demás. Vamos, como ahora.

BULDERO   Días más tarde, caminando hacia la Mancha, tuvo lugar otra de las burlas más sonadas que hice con Lazarilla. Como hacía frío, pedí un brasero para decir la misa y lo coloqué sobre el altar. Y sin que los feligreses lo vieran, puse el crucifijo sobre la lumbre.

LÁZARA   Al acabar la misa, cogió la cruz envuelta en un pañuelo y bajó para que pasaran a besar la cruz. El primero fue el alcalde, que gritó de dolor.

BULDERO   ¡Paso adelante, señor alcalde! ¡Milagro!

LÁZARA   (*Al público.*) Y así hicieron otros siete u ocho. Y a todos les decía.

BULDERO   ¡Paso, señores! ¡Milagro!

LÁZARA   (*Al público.*) Cuando vio tantos rostros quemados, los puso de testigos del milagro y ya no quiso dar a besar la cruz a nadie más. Y allí empezamos a vender las bulas, que no faltaban compradores.

BULDERO   Comprad las bulas para el perdón de vuestros pecados, comprad la salvación eterna y no provoquéis la cólera de Dios. ¿De qué os valen vuestras tierras y vuestros maravedís si seréis condenados al fuego eterno? ¡Comprad! ¡Comprad! ¡Comprad! (*El telón comienza a bajar y a subir aleatoriamente, sin querer. Las actrices intentan seguir voceando las frases, pero adaptándose a la altura del telón.*) ¡Comprad, comprad!

LÁZARA   (*Al público, asomada a la ranura que ha dejado el telón.*) Y vaya si compraban. A partir de ahí me dije para mí algo que me copiarían mucho tiempo después. A Dios pongo por testigo que jamás volveré a pasar hambre.

BULDERO   ¡Comprad, vended, comprad!

(*El telón sigue subiendo y bajando.*)

Escena 7
En casa del arcipreste

El telón ha dejado de subir y bajar. LÁZARA *se acerca al proscenio.*

LÁZARA
(*Al público. Como vendiendo en una plaza.*) ¡Comprad! ¡Comprad! No os lo vais a creer, pero tuve la buena fortuna de que me contrataran en la ciudad de Toledo como pregonera, anunciando por sus calles en voz alta el nombre de los condenados a muerte. Tenía que decir hasta sus delitos. Ahí fue cuando el Arcipreste de San Salvador se fijó en mí, quizá por mi buena voz y mi atractiva presencia, para que pregonara y vendiera sus vinos.

(*Entra el* ARCIPRESTE.)

ARCIPRESTE
Lázara, ¿estás contenta con tu trabajo de pregonera de mis vinos?

LÁZARA
Sí, señor, que me proporciona buenos maravedíes.

ARCIPRESTE
Yo también estoy contento contigo. Por eso he pensado que, tal vez, podríamos los tres ganar mucho si te quisieras casar con mi

criado. No me negarás que es un buen muchacho y bastante atractivo.

LÁZARA
(*Al público.*) Yo ya le había echado el ojo. (*Al* ARCIPRESTE.) Está de buen ver, señor. Y me gusta para padre de mis hijos. Fuerte y con un oficio seguro, amparado por vuestra merced. ¡Vive Dios que sí!

ARCIPRESTE
Entonces, ¿qué me dices?

LÁZARA
Mejor, ¿qué dice él? ¿Me tomaría por esposa?

ARCIPRESTE
¿Qué dice? Él dirá lo que yo le diga.

LÁZARA
¡Ah! ¡Él te ha encargado que me pidas en matrimonio!

ARCIPRESTE
¿Eh?… ¡Sí, claro! Desde el primer día que entraste a servirme no te ha quitado los ojos de encima. Y, como le gustas y si a ti te gusta, podríais probar a casaros. ¿Qué me respondes, Lázara de Tormes?

LÁZARA
Que sí, no se vaya a arrepentir… Pero se parece a mis anteriores amos.

ARCIPRESTE
¿A quiénes dices?

LÁZARA
Al ciego, al clérigo, al hidalgo y al buldero. Y a ti un poco también.

ARCIPRESTE
¿Y eso te importa?

LÁZARA   ¡Qué me va a importar! Te digo que sí, que me caso.

ARCIPRESTE   Está bien. Yo os casaré a los dos. (*Al público.*) Y los casé. Les alquilé una casilla al lado de la mía. Los domingos y fiestas comían en mi casa. Al principio no le gustaba que su esposo viniera a mi casa por las noches a prepararme la cena y se quedara hasta que yo me dormía bien entrada la madrugada. Los celos la hacían sufrir. La gente murmuraba.

LÁZARA   (*Al público.*) Lo pasé mal hasta que un día el arcipreste vino a hablar conmigo y me dijo…

ARCIPRESTE   Lázara de Tormes, quien escucha las malas lenguas, nunca mejorará de posición en la vida. Te digo esto porque sé que algunos murmuran diciendo que entre tu esposo y yo hay algo… Pero te aseguro que él entra en mi casa muy a tu honra y a la suya. Por tanto, no mires lo que digan, sino a lo que te importa, es decir, a tu provecho.

(*Sale de escena o se coloca detrás de la pantalla.*)

LÁZARA   (*Al público.*) Ahí decidí que más valía tener un techo en donde dormir y una buena comida que una falsa honra. Aun así, no pude por menos que pedir una explicación a mi marido. El pobre se echó a llorar sin desconsuelo.

MARIDO DE LÁZARA   (*Entra en escena vestido como al principio de la obra.*) ¿Cómo piensas mal de mí, mujer, y das pábulo a la maledicencia en vez de creer en mis palabras y apreciar el buen trato que te doy?

LÁZARA   Marido mío, no tengas pena. Entra y sal por donde quieras y a las horas que quieras, que estoy segura de tu bondad.

MARIDO DE LÁZARA   Esas gentes que te dicen esas cosas no son amigos.

LÁZARA   No escucharé nunca nada malo de ti, eres lo que más quiero en el mundo y te amo mil veces más que a mí misma. Así que, si alguno osara criticarte, sería capaz de matarlo.

MARIDO DE LÁZARA   Y bien que lo sé, (*Al público.*) aunque nadie jamás se atrevió a hacerlo.

LÁZARA   Al fin tuvimos paz en casa. Sepan ustedes que estos hechos ocurrieron en el mismo año en el que nuestro victorioso emperador Carlos V entró en esta insigne ciudad de Toledo y se celebraron cortes y grandes fiestas.

ACTRIZ 2   (*Vestida de ropa actual.*) Juzguen Vuestras Mercedes y Vuestras Pilares, juzguen ustedes si Lázara de Tormes obró bien o mal.

ACTRIZ 1   Quiero que sepan que por fin la fortuna nos es propicia, que para ustedes he contado mi vida, nuestra vida.

ACTRIZ 2   Esta es la verdadera historia, la vida de las Lazarillas, que dos actrices, Pepa y Sole, les hemos contado.

ACTRIZ 1   Y mil gracias les damos por escucharnos.

ACTRIZ 2   Quizá algún día, Sole… Sí, algún día… Nosotras…

(Comienza a sonar una canción.)

ACTRIZ 1   Esto es todo. Por el momento.

ACTRIZ 2   Muchas gracias.

(Telón.)

Fin.

Cubierta y diseño editorial: Éride, Diseño Gráfico
Dirección editorial: ángel jiménez

Primera edición: septiembre, 2025

El lazarillo de Tormes
© VdB®, 2025
Espronceda, 5
28003 Madrid

VdB®

ISBN: 979-13-87644-49-9
Depósito Legal: M-21513-2025
Diseño y preimpresión: Éride, Diseño Gráfico

Cualquier forma de reproducción, distribución, comunicación pública
o transformación de esta obra solo puede ser realizada con la autorización
de sus titulares, salvo excepción prevista por la ley. Diríjase a CEDRO
(Centro Español de Derechos Reprográficos, www.cedro.org) si necesita
fotocopiar o escanear algún fragmento de esta obra.

Todos los derechos reservados.

VdB® es una marca registrada de Éride, S.L.

 Este libro protege el entorno

el lazarillo de Tormes

Obra de dominio público

El lazarillo de Tormes

Edición de Burgos, 1554.

{Interpolaciones de la edición de Alcalá}

Existen cuatro ediciones de El lazarillo de Tormes
de 1554, año en que la obra se publicó
por primera vez. Fueron impresas en Burgos,
Amberes, Alcalá de Henares y Medina del Campo.

Prólogo

Yo por bien tengo que cosas tan señaladas, y por ventura nunca oídas ni vistas, vengan a noticia de muchos y no se entierren en la sepultura del olvido, pues podría ser que alguno que las lea halle algo que le agrade, y a los que no ahondaren tanto los deleite; y a este propósito dice Plinio que no hay libro, por malo que sea, que no tenga alguna cosa buena; mayormente que los gustos no son todos unos, mas lo que uno no come, otro se pierde por ello. Y así vemos cosas tenidas en poco de algunos, que de otros no lo son. Y esto, para ninguna cosa se debería romper ni echar a mal, si muy detestable no fuese, sino que a todos se comunicase, mayormente siendo sin perjuicio y pudiendo sacar della algún fruto; porque si así no fuese, muy pocos escribirían para uno solo, pues no se hace sin trabajo, y quieren, ya que lo pasan, ser recompensados, no con dineros, mas con que vean y lean sus obras, y si hay de qué, se las alaben; y a este propósito dice Tulio: «La honra cría las artes.» ¿Quién piensa que el soldado que es primero del escala, tiene más aborrecido el vivir? No, por cierto; mas el deseo de alabanza le hace ponerse en peligro; y así, en las artes y letras es lo mesmo. Predica muy bien el presentado, y es hombre que desea mucho el provecho de las ánimas; mas pregunten a su merced si le pesa cuando le dicen: «¡Oh, qué maravillosamente lo ha hecho vuestra reverencia!». Justó muy ruinmente el señor don Fulano, y dio el sayete de armas al truhán, porque le loaba de haber llevado muy buenas lanzas. ¿Qué hiciera si fuera verdad?

Y todo va desta manera: que confesando yo no ser más santo que mis vecinos, desta nonada, que en este grosero estilo escribo, no me pesará que hayan parte y se huelguen con ello todos los que en ella algún gusto hallaren, y vean que vive un hombre con tantas fortunas, peligros y adversidades.

Suplico a Vuestra Merced reciba el pobre servicio de mano de quien lo hiciera más rico si su poder y deseo se conformaran. Y pues Vuestra Merced escribe se le escriba y relate el caso por muy extenso, pareciome no tomalle por el medio, sino por el principio, porque se tenga entera noticia de mi persona, y también porque consideren los que heredaron nobles estados cuán poco se les debe, pues Fortuna fue con ellos parcial, y cuánto más hicieron los que, siéndoles contraria, con fuerza y maña remando, salieron a buen puerto.

Tratado Primero
Cuenta Lázaro su vida, y cuyo hijo fue.

Pues sepa Vuestra Merced, ante todas cosas que a mí llaman Lázaro de Tormes, hijo de Tomé González y de Antona Pérez, naturales de Tejares, aldea de Salamanca. Mi nacimiento fue dentro del río Tormes, por la cual causa tomé el sobrenombre, y fue desta manera. Mi padre, que Dios perdone, tenía cargo de proveer una molienda de una aceña, que está ribera de aquel río, en la cual fue molinero más de quince años; y estando mi madre una noche en la aceña, preñada de mí, tomóle el parto y parióme allí: de manera que con verdad puedo decir nacido en el río. Pues siendo yo niño de ocho años, achacaron a mi padre ciertas sangrías mal hechas en los costales de los que allí a moler venían, por lo que fue preso, y confesó y no negó y padeció persecución por justicia. Espero en Dios que está en la Gloria, pues el Evangelio los llama bienaventurados. En este tiempo se hizo cierta armada contra moros, entre los cuales fue mi padre, que a la sazón estaba desterrado por el desastre ya dicho, con cargo de acemilero de un caballero que allá fue, y con su señor, como leal criado, feneció su vida.

Mi viuda madre, como sin marido y sin abrigo se viese, determinó arrimarse a los buenos por ser uno dellos, y vínose a vivir a la ciudad, y alquiló una casilla, y metióse a guisar de comer a ciertos estudiantes, y lavaba la ropa a ciertos mozos de caballos del Comendador de la Magdalena, de manera que fue frecuentando las caballerizas.

Ella y un hombre moreno de aquellos que las bestias curaban, vinieron en conocimiento. Éste algunas veces se venía a nuestra casa, y se iba a la mañana; otras veces de día llegaba a la puerta, en achaque de comprar huevos, y entrábase en casa. Yo al principio de su entrada, pesábame con él y habíale miedo, viendo el color y mal gesto que tenía; mas de que vi que con su venida mejoraba el comer, fuile queriendo bien, porque siempre traía pan, pedazos de carne, y en el invierno leños, a que nos calentábamos. De manera que, continuando con la posada y conversación, mi madre vino a darme un negrito muy bonito, el cual yo brincaba y ayudaba a calentar. Y acuérdome que, estando el negro de mi padre trebejando con el mozuelo, como el niño vía a mi madre y a mí blancos, y a él no, huía dél con miedo para mi madre, y señalando con el dedo decía:

—¡Madre, coco!

Respondió él riendo:

—¡Hideputa!

Yo, aunque bien mochacho, noté aquella palabra de mi hermanico, y dije entre mí: «¡cuántos debe de haber en el mundo que huyen de otros porque no se ven a sí mesmos!».

Quiso nuestra fortuna que la conversación del Zaide, que así se llamaba, llegó a oídos del mayordomo, y hecha pesquisa, hallóse que la mitad por medio de la cebada, que para las bestias le daban, hurtaba, y salvados, leña, almohazas, mandiles, y las mantas y sábanas de los caballos hacía perdidas, y cuando otra cosa no tenía, las bestias desherraba, y con todo esto acudía a mi madre para criar a mi hermanico. No nos maravillemos de un clérigo ni fraile, porque el uno hurta de los pobres y el otro de casa para sus devotas y para ayuda de otro tanto, cuando a un

pobre esclavo el amor le animaba a esto. Y probósele cuanto digo y aún más, porque a mí con amenazas me preguntaban, y como niño respondía, y descubría cuanto sabía con miedo, hasta ciertas herraduras que pormandado de mi madre a un herrero vendí. Al triste de mi padrastro azotaron y pringaron, y a mi madre pusieron pena por justicia, sobre el acostumbrado centenario, que en casa del sobredicho Comendador no entrase, ni al lastimado Zaide en la suya acogiese.

Por no echar la soga tras el caldero, la triste se esforzó y cumplió la sentencia; y por evitar peligro y quitarse de malas lenguas, se fue a servir a los que al presente vivían en el mesón de la Solana; y allí, padeciendo mil importunidades, se acabó de criar mi hermanico hasta que supo andar, y a mí hasta ser buen mozuelo, que iba a los huéspedes por vino y candelas y por lo demás que me mandaban.

En este tiempo vino a posar al mesón un ciego, el cual, pareciéndole que yo sería para adestralle, me pidió a mi madre, y ella me encomendó a él, diciéndole como era hijo de un buen hombre, el cual por ensalzar la fe había muerto en la de los Gelves, y que ella confiaba en Dios no saldría peor hombre que mi padre, y que le rogaba me tratase bien y mirase por mí, pues era huérfano. Él le respondió que así lo haría, y que me recibía no por mozo sino por hijo. Y así le comencé a servir y adestrar a mi nuevo y viejo amo.

Como estuvimos en Salamanca algunos días, pareciéndole a mi amo que no era la ganancia a su contento, determinó irse de allí; y cuando nos hubimos de partir, yo fui a ver a mi madre, y ambos llorando, me dio su bendición y dijo:

—Hijo, ya sé que no te veré más. Procura ser bueno, y Dios te guíe. Criado te he y con buen amo te he puesto. Válete por ti.

Y así me fui para mi amo, que esperándome estaba. Salimos de Salamanca, y llegando a la puente, está a la entrada della un animal de piedra, que casi tiene forma de toro, y el ciego mandóme que llegase cerca del animal, y allí puesto, me dijo:

—Lázaro, llega el oído a este toro, y oirás gran ruido dentro dél.

Yo simplemente llegué, creyendo ser ansí; y como sintió que tenía la cabeza par de la piedra, afirmó recio la mano y diome una gran calabazada en el diablo del toro, que más de tres días me duró el dolor de la cornada, y díjome:

—Necio, aprende que el mozo del ciego un punto ha de saber más que el diablo. —Y rio mucho la burla.

Parecióme que en aquel instante desperté de la simpleza en que como niño dormido estaba. Dije entre mí: «verdad dice éste, que me cumple avivar el ojo y avisar, pues solo soy, y pensar cómo me sepa valer».

Comenzamos nuestro camino, y en muy pocos días me mostró jerigonza, y como me viese de buen ingenio, holgábase mucho, y decía:

—Yo oro ni plata no te lo puedo dar, mas avisos para vivir muchos te mostraré.

Y fue ansí, que después de Dios éste me dio la vida, y siendo ciego me alumbró y adestró en la carrera de vivir. Huelgo de contar a Vuestra Merced estas niñerías para mostrar cuánta virtud sea saber los hombres subir siendo bajos, y dejarse bajar siendo altos cuánto vicio.

Pues tornando al bueno de mi ciego y contando sus cosas, Vuestra Merced sepa que desde que Dios crió el mundo, ninguno formó más astuto ni sagaz. En su oficio era un águila; ciento y tantas oraciones sabía de coro: un tono bajo, reposado y muy sonable que hacía resonar la

iglesia donde rezaba, un rostro humilde y devoto que con muy buen continente ponía cuando rezaba, sin hacer gestos ni visajes con boca ni ojos, como otros suelen hacer. Allende desto, tenía otras mil formas y maneras para sacar el dinero. Decía saber oraciones para muchos y diversos efectos: para mujeres que no parían, para las que estaban de parto, para las que eran malcasadas, que sus maridos las quisiesen bien; echaba pronósticos a las preñadas, si traía hijo o hija. Pues en caso de medicina, decía que Galeno no supo la mitad que él para muela, desmayos, males de madre. Finalmente, nadie le decía padecer alguna pasión, que luego no le decía:

—Haced esto, hareís estotro, cosed tal yerba, tomad tal raíz.

Con esto andábase todo el mundo tras él, especialmente mujeres, que cuanto les decían creían. Destas sacaba él grandes provechos con las artes que digo, y ganaba más en un mes que cien ciegos en un año.

Mas también quiero que sepa vuestra merced que, con todo lo que adquiría, jamás tan avariento ni mezquino hombre no vi, tanto que me mataba a mí de hambre, y así no me demediaba de lo necesario. Digo verdad: si con mi sotileza y buenas mañas no me supiera remediar, muchas veces me finara de hambre; mas con todo su saber y aviso le contaminaba de tal suerte que siempre, o las más veces, me cabía lo más y mejor. Para esto le hacía burlas endiabladas, de las cuales contaré algunas, aunque no todas a mi salvo.

Él traía el pan y todas las otras cosas en un fardel de lienzo que por la boca se cerraba con una argolla de hierro y su candado y su llave, y al meter de todas las cosas y sacallas, era con tan gran vigilancia y tanto por contadero, que no bastaba hombre en todo el mundo hacerle

menos una migaja; mas yo tomaba aquella laceria que él me daba, la cual en menos de dos bocados era despachada. Después que cerraba el candado y se descuidaba pensando que yo estaba entendiendo en otras cosas, por un poco de costura, que muchas veces del un lado del fardel descosía y tornaba a coser, sangraba el avariento fardel, sacando no por tasa pan, mas buenos pedazos, torreznos y longaniza; y ansí buscaba conveniente tiempo para rehacer, no la chaza, sino la endiablada falta que el mal ciego me faltaba. Todo lo que podía sisar y hurtar, traía en medias blancas; y cuando le mandaban rezar y le daban blancas, como él carecía de vista, no había el que se la daba amagado con ella, cuando yo la tenía lanzada en la boca y la media aparejada, que por presto que él echaba la mano, ya iba de mi cambio aniquilada en la mitad del justo precio.

Quejábaseme el mal ciego, porque al tiento luego conocía y sentía que no era blanca entera, y decía:

—¿Qué diablo es esto, que después que conmigo estás no me dan sino medias blancas, y de antes una blanca y un maravedí hartas veces me pagaban? En ti debe estar esta desdicha.

También él abreviaba el rezar y la mitad de la oración no acababa, porque me tenía mandado que en yéndose el que la mandaba rezar, le tirase por el cabo del capuz. Yo así lo hacía. Luego él tornaba a dar voces, diciendo: «¿Mandan rezar tal y tal oración?», como suelen decir.

Usaba poner cabe sí un jarrillo de vino cuando comíamos, y yo muy de presto le asía y daba un par de besos callados y tornábale a su lugar. Mas turóme poco, que en los tragos conocía la falta, y por reservar su vino a salvo nunca después desamparaba el jarro, antes lo tenía por el asa asido; mas no había piedra imán que así trajese a sí como yo con una paja larga de centeno, que para aquel

menester tenía hecha, la cual metiéndola en la boca del jarro, chupando el vino lo dejaba a buenas noches. Mas como fuese el traidor tan astuto, pienso que me sintió, y dende en adelante mudó propósito, y asentaba su jarro entre las piernas, y atapábale con la mano, y ansí bebía seguro. Yo, como estaba hecho al vino, moría por él, y viendo que aquel remedio de la paja no me aprovechaba ni valía, acordé en el suelo del jarro hacerle una fuentecilla y agujero sotil, y delicadamente con una muy delgada tortilla de cera taparlo, y al tiempo de comer, fingiendo haber frío, entrábame entre las piernas del triste ciego a calentarme en la pobrecilla lumbre que teníamos, y al calor della luego derretida la cera, por ser muy poca, comenzaba la fuentecilla a destillarme en la boca, la cual yo de tal manera ponía que maldita la gota se perdía. Cuando el pobreto iba a beber, no hallaba nada: espantábase, maldecía, daba al diablo el jarro y el vino, no sabiendo qué podía ser.

—No diréis, tío, que os lo bebo yo —decía—, pues no le quitáis de la mano.

Tantas vueltas y tiento dio al jarro, que halló la fuente y cayó en la burla; mas así lo disimuló como si no lo hubiera sentido, y luego otro día, teniendo yo rezumando mi jarro como solía, no pensando en el daño que me estaba aparejado ni que el mal ciego me sentía, sentéme como solía, estando recibiendo aquellos dulces tragos, mi cara puesta hacia el cielo, un poco cerrados los ojos por mejor gustar el sabroso licor, sintió el desesperado ciego que agora tenía tiempo de tomar de mí venganza y con toda su fuerza, alzando con dos manos aquel dulce y amargo jarro, le dejó caer sobre mi boca, ayudándose, como digo, con todo su poder, de manera que el pobre Lázaro, que de nada desto se guardaba, antes, como otras veces,

estaba descuidado y gozoso, verdaderamente me pareció que el cielo, con todo lo que en él hay, me había caído encima. Fué tal el golpecillo, que me desatinó y sacó de sentido, y el jarrazo tan grande, que los pedazos dél se me metieron por la cara, rompiéndomela por muchas partes, y me quebró los dientes, sin los cuales hasta hoy día me quedé.

Desde aquella hora quise mal al mal ciego, y aunque me quería y regalaba y me curaba, bien vi que se había holgado del cruel castigo. Lavóme con vino las roturas que con los pedazos del jarro me había hecho, y sonriéndose decía:

—¿Qué te parece, Lázaro? Lo que te enfermó te sana y da salud—. Y otros donaires que a mi gusto no lo eran.

Ya que estuve medio bueno de mi negra trepa y cardenales, considerando que a pocos golpes tales el cruel ciego ahorraría de mí, quise yo ahorrar dél; mas no lo hice tan presto por hacello más a mi salvo y provecho. Y aunque yo quisiera asentar mi corazón y perdonalle el jarrazo, no daba lugar el maltratamiento que el mal ciego dende allí adelante me hacía, que sin causa ni razón me hería, dándome coxcorrones y repelándome. Y si alguno le decía por qué me trataba tan mal, luego contaba el cuento del jarro, diciendo:

—¿Pensaréis que este mi mozo es algún inocente? Pues oíd si el demonio ensayara otra tal hazaña.

Santiguándose los que lo oían, decían:

—¡Mirá, quién pensara de un muchacho tan pequeño tal ruindad!, —y reían mucho el artificio, y decíanle— Castigaldo, castigaldo, que de Dios lo habréis.—Y él con aquello nunca otra cosa hacía.

Y en esto yo siempre le llevaba por los peores caminos, y adrede, por le hacer mal y daño: si había piedras,

por ellas, si lodo, por lo más alto; que aunque yo no iba por lo más enjuto, holgábame a mí de quebrar un ojo por quebrar dos al que ninguno tenía. Con esto siempre con el cabo alto del tiento me atentaba el colodrillo, el cual siempre traía lleno de tolondrones y pelado de sus manos; y aunque yo juraba no lo hacer con malicia, sino por no hallar mejor camino, no me aprovechaba ni me creía más: tal era el sentido y el grandísimo entendimiento del traidor.

Y porque vea Vuestra Merced a cuánto se estendía el ingenio deste astuto ciego, contaré un caso de muchos que con él me acaecieron, en el cual me parece dio bien a entender su gran astucia. Cuando salimos de Salamanca, su motivo fue venir a tierra de Toledo, porque decía ser la gente más rica, aunque no muy limosnera. Arrimábase a este refrán: «Más da el duro que el desnudo.» Y venimos a este camino por los mejores lugares. Donde hallaba buena acogida y ganancia, deteníamonos; donde no, a tercero día hacíamos Sant Juan.

Acaeció que llegando a un lugar que llaman Almorox, al tiempo que cogían las uvas, un vendimiador le dio un racimo dellas en limosna, y como suelen ir los cestos maltratados y también porque la uva en aquel tiempo está muy madura, desgranábasele el racimo en la mano; para echarlo en el fardel tornábase mosto, y lo que a él se llegaba. Acordó de hacer un banquete, ansí por no lo poder llevar como por contentarme, que aquel día me había dado muchos rodillazos y golpes. Sentámonos en un valladar y dijo:

—Agora quiero yo usar contigo de una liberalidad, y es que ambos comamos este racimo de uvas, y que hayas dél tanta parte como yo. Partillo hemos desta manera: tú picarás una vez y yo otra; con tal que me prometas no

tomar cada vez más de una uva, yo haré lo mesmo hasta que lo acabemos, y desta suerte no habrá engaño.

Hecho ansí el concierto, comenzamos; mas luego al segundo lance; el traidor mudó de propósito y comenzó a tomar de dos en dos, considerando que yo debría hacer lo mismo. Como vi que él quebraba la postura, no me contenté ir a la par con él, mas aun pasaba adelante: dos a dos, y tres a tres, y como podía las comía. Acabado el racimo, estuvo un poco con el escobajo en la mano y meneando la cabeza dijo:

—Lázaro, engañado me has: juraré yo a Dios que has tú comido las uvas tres a tres.

—No comí —dije yo— mas ¿por qué sospecháis eso?

Respondió el sagacísimo ciego:

—¿Sabes en qué veo que las comiste tres a tres? En que comía yo dos a dos y callabas.

{A lo cual yo no respondí. Yendo que íbamos ansí por debajo de unos soportales en Escalona, adonde a la sazón estábamos en casa de un zapatero, había muchas sogas y otras cosas que de esparto se hacen, y parte dellas dieron a mi amo en la cabeza; el cual, alzando la mano, tocó en ellas, y viendo lo que era díjome:

—Anda presto, mochacho; salgamos de entre tan mal manjar, que ahoga sin comerlo.

Yo, que bien descuidado iba de aquello, miré lo que era, y como no vi sino sogas y cinchas, que no era cosa de comer, díjele:

—Tío, ¿por qué decís eso?

Respondióme:

—Calla, sobrino; según las mañas que llevas, lo sabrás y verás como digo verdad.

Y ansí pasamos adelante por el mismo portal y llegamos a un mesón, a la puerta del cual había muchos cuernos

en la pared, donde ataban los recueros sus bestias. Y como iba tentando si era allí el mesón, adonde él rezaba cada día por la mesonera la oración de la emparedada, asió de un cuerno, y con un gran sospiro dijo:

—¡O mala cosa, peor que tienes la hechura! ¡De cuántos eres deseado poner tu nombre sobre cabeza ajena y de cuán pocos tenerte ni aun oír tu nombre, por ninguna vía!

Como le oí lo que decía, dije:

—Tío, ¿qué es eso que decís?

—Calla, sobrino, que algún día te dará éste, que en la mano tengo, alguna mala comida y cena.

—No le comeré yo —dije— y no me la dará.

—Yo te digo verdad; si no, verlo has, si vives.

Y ansí pasamos adelante hasta la puerta del mesón, adonde pluguiere a Dios nunca allá llegáramos, según lo que me sucedía en él.

Era todo lo más que rezaba por mesoneras y por bodegoneras y turroneras y rameras y ansí por semejantes mujercillas, que por hombre casi nunca le vi decir oración}.

Reíme entre mí, y aunque mochacho noté mucho la discreta consideración del ciego.

Mas por no ser prolijo dejo de contar muchas cosas, así graciosas como de notar, que con este mi primer amo me acaecieron, y quiero decir el despidiente y con él acabar.

Estábamos en Escalona, villa del duque della, en un mesón, y dióme un pedazo de longaniza que la asase. Ya que la longaniza había pringado y comídose las pringadas, sacó un maravedí de la bolsa y mandó que fuese por él de vino a la taberna. Púsome el demonio el aparejo delante los ojos, el cual, como suelen decir, hace al ladrón, y fue que había cabe el fuego un nabo pequeño, larguillo y ruinoso, y tal que, por no ser para la olla, debió ser

echado allí. Y como al presente nadie estuviese sino él y yo solos, como me vi con apetito goloso, habiéndome puesto dentro el sabroso olor de la longaniza, del cual solamente sabía que había de gozar, no mirando qué me podría suceder, pospuesto todo el temor por cumplir con el deseo, en tanto que el ciego sacaba de la bolsa el dinero, saqué la longaniza y muy presto metí el sobredicho nabo en el asador, el cual mi amo, dándome el dinero para el vino, tomó y comenzó a dar vueltas al fuego, queriendo asar al que de ser cocido por sus deméritos había escapado.

Yo fui por el vino, con el cual no tardé en despachar la longaniza, y cuando vine hallé al pecador del ciego que tenía entre dos rebanadas apretado el nabo, al cual aún no había conocido por no lo haber tentado con la mano.

Como tomase las rebanadas y mordiese en ellas pensando también llevar parte de la longaniza, hallóse en frío con el frío nabo. Alteróse y dijo:

—¿Qué es esto, Lazarillo?

—¡Lacerado de mí! —dije yo—. ¿Si queréis a mí échar algo? ¿Yo no vengo de traer el vino? Alguno estaba ahí, y por burlar haría esto.

—No, no —dijo él—, que yo no he dejado el asador de la mano; no es posible.

Yo torné a jurar y perjurar que estaba libre de aquel trueco y cambio; mas poco me aprovechó, pues a las astucias del maldito ciego nada se le escondía. Levantóse y asióme por la cabeza, y llegóse a olerme; y como debió sentir el huelgo, a uso de buen podenco, por mejor satisfacerse de la verdad, y con la gran agonía que llevaba, asiéndome con las manos, abríame la boca más de su derecho y desatentadamente metía la nariz, la cual él tenía luenga y afilada, y a aquella sazón con el enojo se habían augmentado un palmo, con el pico de la cual me llegó a

la gulilla. Y con esto y con el gran miedo que tenía, y con la brevedad del tiempo, la negra longaniza aún no había hecho asiento en el estómago, y lo más principal, con el destiento de la cumplidísima nariz medio cuasi ahogándome, todas estas cosas se juntaron y fueron causa que el hecho y golosina se manifestase y lo suyo fuese devuelto a su dueño: de manera que antes que el mal ciego sacase de mi boca su trompa, tal alteración sintió mi estómago que le dio con el hurto en ella, de suerte que su nariz y la negra malmaxcada longaniza a un tiempo salieron de mi boca.

¡Oh, gran Dios, quién estuviera aquella hora sepultado, que muerto ya lo estaba! Fue tal el coraje del perverso ciego que, si al ruido no acudieran, pienso no me dejara con la vida. Sacáronme de entre sus manos, dejándoselas llenas de aquellos pocos cabellos que tenía, arañada la cara y rascuñado el pescuezo y la garganta; y esto bien lo merecía, pues por su maldad me venían tantas persecuciones.

Contaba el mal ciego a todos cuantos allí se allegaban mis desastres, y dábales cuenta una y otra vez, así de la del jarro como de la del racimo, y agora de lo presente. Era la risa de todos tan grande que toda la gente que por la calle pasaba entraba a ver la fiesta; mas con tanta gracia y donaire recontaba el ciego mis hazañas que, aunque yo estaba tan maltratado y llorando, me parecía que hacía sinjusticia en no se las reír.

Y en cuanto esto pasaba, a la memoria me vino una cobardía y flojedad que hice, por que me maldecía, y fue no dejalle sin narices, pues tan buen tiempo tuve para ello que la meitad del camino estaba andado; que con sólo apretar los dientes se me quedaran en casa, y con ser de aquel malvado, por ventura lo retuviera mejor mi estómago que

retuvo la longaniza, y no pareciendo ellas pudiera negar la demanda. Pluguiera a Dios que lo hubiera hecho, que eso fuera así que así. Hiciéronnos amigos la mesonera y los que allí estaban, y con el vino que para beber le había traído, laváronme la cara y la garganta, sobre lo cual discantaba el mal ciego donaires, diciendo:

—Por verdad, más vino me gasta este mozo en lavatorios al cabo del año que yo bebo en dos. A lo menos, Lázaro, eres en más cargo al vino que a tu padre, porque él una vez te engendró, mas el vino mil te ha dado la vida.

Y luego contaba cuántas veces me había descalabrado y harpado la cara, y con vino luego sanaba.

—Yo te digo —dijo— que si un hombre en el mundo ha de ser bienaventurado con vino, que serás tú. —Y reían mucho los que me lavaban con esto, aunque yo renegaba.

Mas el pronóstico del ciego no salió mentiroso, y después acá muchas veces me acuerdo de aquel hombre, que sin duda debía tener spíritu de profecía, y me pesa de los sinsabores que le hice, aunque bien se lo pagué, considerando lo que aquel día me dijo salirme tan verdadero como adelante Vuestra Merced oirá.

Visto esto y las malas burlas que el ciego burlaba de mí, determiné de todo en todo dejalle, y como lo traía pensado y lo tenía en voluntad, con este postrer juego que me hizo afirmélo más. Y fue ansí, que luego otro día salimos por la villa a pedir limosna, y había llovido mucho la noche antes; y porque el día también llovía, y andaba rezando debajo de unos portales que en aquel pueblo había, donde no nos mojamos; mas como la noche se venía y el llover no cesaba, díjome el ciego:

—Lázaro, esta agua es muy porfiada, y cuanto la noche más cierra, más recia. Acojámonos a la posada con tiempo.

Para ir allá, habíamos de pasar un arroyo que con la mucha agua iba grande. Yo le dije:

—Tío, el arroyo va muy ancho; mas si queréis, yo veo por donde travesemos más aína sin nos mojar, porque se estrecha allí mucho, y saltando pasaremos a pie enjuto.

Parecióle buen consejo y dijo:

—Discreto eres; por esto te quiero bien. Llévame a ese lugar donde el arroyo se ensangosta, que agora es invierno y sabe mal el agua, y más llevar los pies mojados.

Yo, que vi el aparejo a mi deseo, saquéle debajo de los portales, y llevélo derecho de un pilar o poste de piedra que en la plaza estaba, sobre la cual y sobre otros cargaban saledizos de aquellas casas, y dígole:

—Tio, éste es el paso más angosto que en el arroyo hay.

Como llovía recio, y el triste se mojaba, y con la priesa que llevábamos de salir del agua que encima de nos caía, y lo más principal, porque Dios le cegó aquella hora el entendimiento (fue por darme dél venganza), creyóse de mí y dijo:

—Ponme bien derecho, y salta tú el arroyo.

Yo le puse bien derecho enfrente del pilar, y doy un salto y póngome detrás del poste como quien espera tope de toro, y díjele:

—¡Sus! Saltá todo lo que podáis, porque deis deste cabo del agua.

Aun apenas lo había acabado de decir cuando se abalanza el pobre ciego como cabrón, y de toda su fuerza arremete, tomando un paso atrás de la corrida para hacer mayor salto, y da con la cabeza en el poste, que sonó tan recio como si diera con una gran calabaza, y cayó luego para atrás, medio muerto y hendida la cabeza.

—¿Cómo, y olistes la longaniza y no el poste? ¡Olé! ¡Olé! —le dije yo.

Y dejéle en poder de mucha gente que lo había ido a socorrer, y tomé la puerta de la villa en los pies de un trote, y antes que la noche viniese di conmigo en Torrijos. No supe más lo que Dios dél hizo, ni curé de lo saber.

Tratado Segundo
Cómo Lázaro se asentó con un clérigo,
y de las cosas que con él pasó.

Otro día, no pareciéndome estar allí seguro, fuime a un lugar que llaman Maqueda, adonde me toparon mis pecados con un clérigo que, llegando a pedir limosna, me preguntó si sabía ayudar a misa. Yo dije que sí, como era verdad; que, aunque maltratado, mil cosas buenas me mostró el pecador del ciego, y una dellas fue ésta. Finalmente, el clérigo me recibió por suyo.

Escapé del trueno y di en el relámpago, porque era el ciego para con éste un Alejandro Magno, con ser la mesma avaricia, como he contado. No digo más sino que toda la laceria del mundo estaba encerrada en éste. No sé si de su cosecha era, o lo había anexado con el hábito de clerecía.

Él tenía un arcaz viejo y cerrado con su llave, la cual traía atada con un agujeta del paletoque, y en viniendo el bodigo de la iglesia, por su mano era luego allí lanzado, y tornada a cerrar el arca. Y en toda la casa no había ninguna cosa de comer, como suele estar en otras: algún tocino colgado al humero, algún queso puesto en alguna tabla o en el armario, algún canastillo con algunos pedazos de pan que de la mesa sobran; que me parece a mí que aunque dello no me aprovechara, con la vista dello me consolara. Solamente había una horca de cebollas, y tras la llave en una cámara en lo alto de la casa. Destas tenía yo de ración una para cada cuatro días; y cuando le pedía

la llave para ir por ella, si alguno estaba presente, echaba mano al falsopecto y con gran continencia la desataba y me la daba diciendo:

—Toma, y vuélvela luego, y no hagáis sino golosinar.

Como si debajo della estuvieran todas las conservas de Valencia, con no haber en la dicha cámara, como dije, maldita la otra cosa que las cebollas colgadas de un clavo, las cuales él tenía tan bien por cuenta, que si por malos de mis pecados me desmandara a más de mi tasa, me costara caro. Finalmente, yo me finaba de hambre. Pues, ya que conmigo tenía poca caridad, consigo usaba más. Cinco blancas de carne era su ordinario para comer y cenar. Verdad es que partía comigo del caldo, que de la carne, ¡tan blanco el ojo!, sino un poco de pan, y ¡pluguiera a Dios que me demediara! Los sábados cómense en esta tierra cabezas de carnero, y enviábame por una que costaba tres maravedís. Aquélla le cocía y comía los ojos y la lengua y el cogote y sesos y la carne que en las quijadas tenía, y dábame todos los huesos roídos, y dábamelos en el plato, diciendo:

—Toma, come, triunfa, que para ti es el mundo. Mejor vida tienes que el Papa.

«¡Tal te la dé Dios!», decía yo paso entre mí.

A cabo de tres semanas que estuve con él, vine a tanta flaqueza que no me podía tener en las piernas de pura hambre. Vime claramente ir a la sepultura, si Dios y mi saber no me remediaran. Para usar de mis mañas no tenía aparejo, por no tener en qué dalle salto; y aunque algo hubiera, no podia cegalle, como hacía al que Dios perdone, si de aquella calabazada feneció, que todavía, aunque astuto, con faltalle aquel preciado sentido no me sentía; más estotro, ninguno hay que tan aguda vista tuviese como él tenía. Cuando al ofertorio estábamos, ninguna blanca en

la concha caía que no era dél registrada: el un ojo tenía en la gente y el otro en mis manos. Bailábanle los ojos en el caxco como si fueran de azogue. Cuantas blancas ofrecían tenía por cuenta; y acabado el ofrecer, luego me quitaba la concheta y la ponía sobre el altar. No era yo señor de asirle una blanca todo el tiempo que con él veví o, por mejor decir, morí. De la taberna nunca le traje una blanca de vino, mas aquel poco que de la ofrenda había metido en su arcaz compasaba de tal forma que le turaba toda la semana, y por ocultar su gran mezquindad decíame:

—Mira, mozo, los sacerdotes han de ser muy templados en su comer y beber, y por esto yo no me desmando como otros.

Mas el lacerado mentía falsamente, porque en cofradías y mortuorios que rezamos, a costa ajena comía como lobo y bebía más que un saludador. Y porque dije de mortuorios, Dios me perdone, que jamás fui enemigo de la naturaleza humana sino entonces, y esto era porque comíamos bien y me hartaban. Deseaba y aun rogaba a Dios que cada día matase el suyo. Y cuando dábamos sacramento a los enfermos, especialmente la extrema unción, como manda el clérigo rezar a los que están allí, yo cierto no era el postrero de la oracion, y con todo mi corazón y buena voluntad rogaba al Señor, no que la echase a la parte que más servido fuese, como se suele decir, mas que le llevase de aqueste mundo. Y cuando alguno de éstos escapaba, ¡Dios me lo perdone!, que mil veces le daba al diablo, y el que se moría otras tantas bendiciones llevaba de mí dichas. Porque en todo el tiempo que allí estuve, que sería cuasi seis meses, solas veinte personas fallecieron, y éstas bien creo que las maté yo o, por mejor decir, murieron a mi recuesta; porque viendo el Señor mi rabiosa y continua muerte, pienso que holgaba de

matarlos por darme a mí vida. Mas de lo que al presente padecía, remedio no hallaba, que si el día que enterrábamos yo vivía, los días que no había muerto, por quedar bien vezado de la hartura, tornando a mi cuotidiana hambre, más lo sentía. De manera que en nada hallaba descanso, salvo en la muerte, que yo también para mí como para los otros deseaba algunas veces; mas no la vía, aunque estaba siempre en mí.

Pensé muchas veces irme de aquel mezquino amo, mas por dos cosas lo dejaba: la primera, por no me atrever a mis piernas, por temer de la flaqueza que de pura hambre me venía; y la otra, consideraba y decia: «yo he tenido dos amos: el primero traíame muerto de hambre y, dejándole, topé con estotro, que me tiene ya con ella en la sepultura. Pues si deste desisto y doy en otro más bajo, ¿qué será sino fenecer?». Con esto no me osaba menear, porque tenía por fe que todos los grados había de hallar más ruines; y a abajar otro punto, no sonara Lázaro ni se oyera en el mundo.

Pues, estando en tal aflición, cual plega al Señor librar della a todo fiel cristiano, y sin saber darme consejo, viéndome ir de mal en peor, un día que el cuitado ruin y lacerado de mi amo había ido fuera del lugar, llegóse acaso a mi puerta un calderero, el cual yo creo que fue ángel enviado a mí por la mano de Dios en aquel hábito. Preguntóme si tenía algo que adobar. «En mí teníades bien que hacer, y no haríades poco si me remediásedes», dije paso, que no me oyó; mas como no era tiempo de gastarlo en decir gracias, alumbrado por el Spíritu Santo, le dije:

—Tio, una llave de este arca he perdido, y temo mi señor me azote. Por vuestra vida, veáis si en ésas que traéis hay alguna que le haga, que yo os lo pagaré.

Comenzó a probar el angélico caldedero una y otra de un gran sartal que dellas traía, y yo ayudalle con mis flacas oraciones. Cuando no me cato, veo en figura de panes, como dicen, la cara de Dios dentro del arcaz; y, abierto, díjele:

—Yo no tengo dineros que os dar por la llave, mas tomad de ahí el pago.

Él tomó un bodigo de aquéllos, el que mejor le pareció, y dándome mi llave se fue muy contento, dejándome más a mí. Mas no toqué en nada por el presente, porque no fuese la falta sentida, y aun, porque me vi de tanto bien señor, parecióme que la hambre no se me osaba allegar. Vino el mísero de mi amo, y quiso Dios no miró en la oblada que el ángel había llevado.

Y otro día, en saliendo de casa, abro mi paraíso panal, y tomo entre las manos y dientes un bodigo, y en dos credos le hice invisible, no se me olvidando el arca abierta; y comienzo a barrer la casa con mucha alegría, pareciéndome con aquel remedio remediar dende en adelante la triste vida. Y así estuve con ello aquel día y otro gozoso. Mas no estaba en mi dicha que me durase mucho aquel descanso, porque luego al tercero día me vino la terciana derecha, y fue que veo a deshora al que me mataba de hambre sobre nuestro arcaz volviendo y revolviendo, contando y tornando a contar los panes.

Yo disimulaba, y en mi secreta oración y devociones y plegarias decía: «¡Sant Juan y ciégale!»

Después que estuvo un gran rato echando la cuenta, por días y dedos contando, dijo:

—Si no tuviera a tan buen recaudo esta arca, yo dijera que me habían tomado della panes; pero de hoy más, sólo por cerrar la puerta a la sospecha, quiero tener buena cuenta con ellos: nueve quedan y un pedazo. «¡Nuevas malas te dé Dios!», dije yo entre mí.

Parecióme con lo que dijo pasarme el corazón con saeta de montero, y comenzóme el estómago a escarbar de hambre, viéndose puesto en la dieta pasada. Fue fuera de casa; yo, por consolarme, abro el arca, y como vi el pan, comencélo de adorar, no osando recebillo. Contélos, si a dicha el lacerado se errara, y hallé su cuenta más verdadera que yo quisiera. Lo más que yo pude hacer fue dar en ellos mil besos y, lo más delicado que yo pude, del partido partí un poco al pelo que él estaba; y con aquél pasé aquel día, no tan alegre como el pasado.

Mas como la hambre creciese, mayormente que tenía el estómago hecho a más pan aquellos dos o tres días ya dichos, moría mala muerte; tanto, que otra cosa no hacía en viéndome solo sino abrir y cerrar el arca y contemplar en aquella cara de Dios, que ansí dicen los niños. Mas el mesmo Dios, que socorre a los afligidos, viéndome en tal estrecho, trujo a mi memoria un pequeño remedio; que, considerando entre mí, dije: «este arquetón es viejo y grande y roto por algunas partes, aunque pequeños agujeros. Puédese pensar que ratones, entrando en él, hacen daño a este pan. Sacarlo entero no es cosa conveniente, porque verá la falta el que en tanta me hace vivir. Esto bien se sufre».

Y comienzo a desmigajar el pan sobre unos no muy costosos manteles que allí estaban; y tomo uno y dejo otro, de manera que en cada cual de tres o cuatro desmigajé su poco; después, como quien toma gragea, lo comí, y algo me consolé. Mas él, como viniese a comer y abriese el arca, vio el mal pesar, y sin dubda creyó ser ratones los que el daño habían hecho, porque estaba muy al propio contrahecho de como ellos lo suelen hacer. Miró todo el arcaz de un cabo a otro y viole ciertos agujeros por do sospechaba habían entrado. Llamóme, diciendo:

—¡Lázaro! ¡Mira, mira qué persecución ha venido aquesta noche por nuestro pan!

Yo híceme muy maravillado, preguntándole qué sería.

—¡Qué ha de ser! —dijo él—. Ratones, que no dejan cosa a vida.

Pusímonos a comer, y quiso Dios que aun en esto me fue bien, que me cupo más pan que la laceria que me solía dar, porque rayó con un cuchillo todo lo que pensó ser ratonado, diciendo:

—Cómete eso, que el ratón cosa limpia es.

Y así aquel día, añadiendo la ración del trabajo de mis manos, o de mis uñas, por mejor decir, acabamos de comer, aunque yo nunca empezaba. Y luego me vino otro sobresalto, que fue verle andar solícito, quitando clavos de las paredes y buscando tablillas, con las cuales clavó y cerró todos los agujeros de la vieja arca.

—¡Oh, Señor mío! —dije yo entonces—, ¡a cuánta miseria y fortuna y desastres estamos puestos los nacidos, y cuán poco duran los placeres de esta nuestra trabajosa vida! Heme aquí que pensaba con este pobre y triste remedio remediar y pasar mi laceria, y estaba ya cuanto que alegre y de buena ventura; mas no quiso mi desdicha, despertando a este lacerado de mi amo y poniéndole más diligencia de la que él de suyo se tenía (pues los míseros por la mayor parte nunca de aquella carecen), agora, cerrando los agujeros del arca, cierrase la puerta a mi consuelo y la abriese a mis trabajos.

Así lamentaba yo, en tanto que mi solícito carpintero con muchos clavos y tablillas dio fin a sus obras, diciendo:

—Agora, donos traidores ratones, conviéneos mudar propósito, que en esta casa mala medra tenéis.

De que salió de su casa, voy a ver la obra y hallé que no dejó en la triste y vieja arca agujero ni aun por dónde

le pudiese entrar un moxquito. Abro con mi desaprove-
chada llave, sin esperanza de sacar provecho, y vi los dos
o tres panes comenzados, los que mi amo creyó ser rato-
nados, y dellos todavía saqué alguna lacería, tocándolos
muy ligeramente, a uso de esgremidor diestro. Como la
necesidad sea tan gran maestra, viéndome con tanta, siempre, noche y día, estaba pensando la manera que ternía en
sustentar el vivir; y pienso, para hallar estos negros reme-
dios, que me era luz la hambre, pues dicen que el ingenio
con ella se avisa y al contrario con la hartura, y así era por
cierto en mí.

Pues estando una noche desvelado en este pensamiento, pensando como me podría valer y aprovecharme del arcaz, sentí que mi amo dormía, porque lo mostraba con ron-
car y en unos resoplidos grandes que daba cuando estaba
durmiendo. Levantéme muy quedito y, habiendo en el día
pensado lo que había de hacer y dejado un cuchillo viejo
que por allí andaba en parte do le hallase, voyme al triste
arcaz, y por do había mirado tener menos defensa le aco-
metí con el cuchillo, que a manera de barreno dél usé. Y
como la antiquísima arca, por ser de tantos años, la hallase sin fuerza y corazón, antes muy blanda y carcomida, luego se me rindió, y consintió en su costado por mi remedio
un buen agujero. Esto hecho, abro muy paso la llagada arca
y, al tiento, del pan que hallé partido hice según deyuso está
escrito. Y con aquello algún tanto consolado, tornando a
cerrar, me volví a mis pajas, en las cuales reposé y dormí
un poco, lo cual yo hacía mal, y echábalo al no comer; y
ansí sería, porque cierto en aquel tiempo no me debían de
quitar el sueño los cuidados del rey de Francia.

Otro día fue por el señor mi amo visto el daño así del
pan como del agujero que yo había hecho, y comenzó a
dar a los diablos los ratones y decir:

—¿Qué diremos a esto? ¡Nunca haber sentido ratones en esta casa sino agora!

Y sin dubda debía de decir verdad; porque si casa había de haber en el reino justamente de ellos privilegiada, aquélla de razón había de ser, porque no suelen morar donde no hay qué comer. Torna a buscar clavos por la casa y por las paredes y tablillas a atapárselos. Venida la noche y su reposo, luego era yo puesto en pie con mi aparejo, y cuantos él tapaba de día, destapaba yo de noche. En tal manera fue, y tal priesa nos dimos, que sin dubda por esto se debió decir: «donde una puerta se cierra, otra se abre». Finalmente, parecíamos tener a destajo la tela de Penélope, pues cuanto él tejía de día, rompía yo de noche; ca en pocos días y noches pusimos la pobre despensa de tal forma, que quien quisiera propiamente della hablar, más corazas viejas de otro tiempo que no arcaz la llamara, según la clavazón y tachuelas sobre sí tenía.

De que vio no le aprovechar nada su remedio, dijo:

—Este arcaz está tan maltratado y es de madera tan vieja y flaca, que no habrá ratón a quien se defienda; y va ya tal que, si andamos más con él, nos dejará sin guarda; y aun lo peor, que aunque hace poca, todavía hará falta faltando, y me pondrá en costa de tres o cuatro reales. El mejor remedio que hallo, pues el de hasta aquí no aprovecha, armaré por de dentro a estos ratopes malditos.

Luego buscó prestada una ratonera, y con cortezas de queso que a los vecinos pedía, contino el gato estaba armado dentro del arca, lo cual era para mí singular auxilio; porque, puesto caso que yo no había menester muchas salsas para comer, todavía me holgaba con las cortezas del queso que de la ratonera sacaba, y sin esto no perdonaba el ratonar del bodigo.

Como hallase el pan ratonado y el queso comido y no cayese el ratón que lo comía, dábase al diablo, preguntaba a los vecinos qué podría ser comer el queso y sacarlo de la ratonera, y no caer ni quedar dentro el ratón, y hallar caída la trampilla del gato. Acordaron los vecinos no ser el ratón el que este daño hacía, porque no fuera menos de haber caído alguna vez. Díjole un vecino:

—En vuestra casa yo me acuerdo que solía andar una culebra, y ésta debe ser sin dubda. Y lleva razón que, como es larga, tiene lugar de tomar el cebo; y aunque la coja la trampilla encima, como no entre toda dentro, tórnase a salir.

Cuadró a todos lo que aquél dijo, y alteró mucho a mi amo; y dende en adelante no dormía tan a sueño suelto, que cualquier gusano de la madera que de noche sonase, pensaba ser la culebra que le roía el arca. Luego era puesto en pie, y con un garrote que a la cabacera, desde que aquello le dijeron, ponía, daba en la pecadora del arca grandes garrotazos, pensando espantar la culebra. A los vecinos despertaba con el estruendo que hacía, y a mí no me dejaba dormir. êbase a mis pajas y trastornábalas, y a mí con ellas, pensando que se iba para mí y se envolvía en mis pajas o en mi sayo, porque le decían que de noche acaecía a estos animales, buscando calor, irse a las cunas donde están criaturas y aun mordellas y hacerles peligrar. Yo las más veces hacía del dormido, y en las mañas decíame él:

—Esta noche, mozo, ¿no sentiste nada? Pues tras la culebra anduve, y aun pienso se ha de ir para ti a la cama, que son muy frías y buscan calor.

—Plega a Dios que no me muerda —decía yo—, que harto miedo le tengo.

De esta manera andaba tan elevado y levantado del sueño, que, mi fe, la culebra (o culebro, por mejor decir)

no osaba roer de noche ni levantarse al arca; mas de día, mientra estaba en la iglesia o por el lugar, hacía mis saltos: los cuales daños viendo él y el poco remedio que les podía poner, andaba de noche, como digo, hecho trasgo.

Yo hube miedo que con aquellas diligencias no me topase con la llave que debajo de las pajas tenía, y parecióme lo más seguro metella de noche en la boca. Porque ya, desde que viví con el ciego, la tenía tan hecha bolsa que me acaeció tener en ella doce o quince maravedís, todo en medias blancas, sin que me estorbasen el comer; porque de otra manera no era señor de una blanca que el maldito ciego no cayese con ella, no dejando costura ni remiendo que no me buscaba muy a menudo. Pues ansí, como digo, metía cada noche la llave en la boca, y dormía sin recelo que el brujo de mi amo cayese con ella; mas cuando la desdicha ha de venir, por demás es diligencia.

Quisieron mis hados, o por mejor decir mis pecados, que una noche que estaba durmiendo, la llave se me puso en la boca, que abierta debía tener, de tal manera y postura, que el aire y resoplo que yo durmiendo echaba salía por lo hueco de la llave, que de cañuto era, y silbaba, según mi desastre quiso, muy recio, de tal manera que el sobresaltado de mi amo lo oyó y creyó sin duda ser el silbo de la culebra; y cierto lo debía parecer.

Levantóse muy paso con su garrote en la mano, y al tiento y sonido de la culebra se llegó a mí con mucha quietud, por no ser sentido de la culebra; y como cerca se vio, pensó que allí en las pajas do yo estaba echado, al calor mío se había venido. Levantando bien el palo, pensando tenerla debajo y darle tal garrotazo que la matase, con toda su fuerza me descargó en la cabeza un tan gran golpe, que sin ningún sentido y muy mal descalabrado me dejó.

Como sintió que me había dado, según yo debía hacer gran sentimiento con el fiero golpe, contaba él que se había llegado a mí y dándome grandes voces, llamándome, procuró recordarme. Mas como me tocase con las manos, tentó la mucha sangre que se me iba, y conoció el daño que me había hecho, y con mucha priesa fue a buscar lumbre. Y llegando con ella, hallóme quejando, todavía con mi llave en la boca, que nunca la desamparé, la mitad fuera, bien de aquella manera que debía estar al tiempo que silbaba con ella.

Espantado el matador de culebras qué podría ser aquella llave, miróla, sacándomela del todo de la boca, y vio lo que era, porque en las guardas nada de la suya diferenciaba. Fue luego a proballa, y con ella probó el maleficio. Debió de decir el cruel cazador: «el ratón y culebra que me daban guerra y me comían mi hacienda he hallado».

De lo que sucedió en aquellos tres días siguientes ninguna fe daré, porque los tuve en el vientre de la ballena; mas de cómo esto que he contado oí, después que en mí torné, decir a mi amo, el cual a cuantos allí venían lo contaba por extenso.

A cabo de tres días yo torné en mi sentido y vine echado en mis pajas, la cabeza toda emplastada y llena de aceites y ungüentos y, espantado, dije:

—¿Qué es esto?

Respondióme el cruel sacerdote:

—A fe, que los ratones y culebras que me destruían ya los he cazado.

Y miré por mí, y vime tan maltratado que luego sospeché mi mal.

A esta hora entró una vieja que ensalmaba, y los vecinos, y comiénzanme a quitar trapos de la cabeza y curar el

garrotazo. Y como me hallaron vuelto en mi sentido, holgáronse mucho y dijeron:

—Pues ha tornado en su acuerdo, placerá a Dios no será nada.

Ahí tornaron de nuevo a contar mis cuitas y a reírlas, y yo, pecador, a llorarlas. Con todo esto, diéronme de comer, que estaba transido de hambre, y apenas me pudieron remediar. Y ansí, de poco en poco, a los quince días me levanté y estuve sin peligro, mas no sin hambre, y medio sano.

Luego otro día que fui levantado, el señor mi amo me tomó por la mano y sacóme la puerta fuera y, puesto en la calle, díjome:

—Lázaro, de hoy más eres tuyo y no mío. Busca amo y vete con Dios, que yo no quiero en mi compañía tan diligente servidor. No es posible sino que hayas sido mozo de ciego.

Y santiguándose de mí como si yo estuviera endemoniado, tórnase a meter en casa y cierra su puerta.

Tratado Tercero
Cómo Lázaro se asentó con un escudero,
y de lo que le acaeció con él.

Desta manera me fue forzado sacar fuerzas de flaqueza y,
poco a poco, con ayuda de las buenas gentes di comigo
en esta insigne ciudad de Toledo, adonde con la merced
de Dios dende a quince días se me cerró la herida; y mientras
estaba malo, siempre me daban alguna limosna, mas
después que estuve sano, todos me decían:

—Tú, bellaco y gallofero eres. Busca, busca un amo
a quien sirvas.

—¿Y adónde se hallará ése —decía yo entre mí— si
Dios agora de nuevo, como crió el mundo, no le criase?

Andando así discurriendo de puerta en puerta, con
harto poco remedio, porque ya la caridad se subió al cielo,
topóme Dios con un escudero que iba por la calle con
razonable vestido, bien peinado, su paso y compás en orden.
Miróme, y yo a él, y díjome:

—Mochacho, ¿buscas amo?

Yo le dije:

—Sí, señor.

—Pues vente tras mí —me respondió— que Dios te
ha hecho merced en topar comigo. Alguna buena oración
rezaste hoy.

Y seguíle, dando gracias a Dios por lo que le oí, y también
que me parecía, según su hábito y continente, ser el
que yo había menester.

Era de mañana cuando este mi tercero amo topé, y llevóme tras sí gran parte de la ciudad. Pasábamos por las plazas do se vendía pan y otras provisiones. Yo pensaba y aun deseaba que allí me quería cargar de lo que se vendía, porque ésta era propria hora cuando se suele proveer de lo necesario; mas muy a tendido paso pasaba por estas cosas. «Por ventura no lo vee aquí a su contento, decía yo, y querrá que lo compremos en otro cabo».

Desta manera anduvimos hasta que dio las once. Entonces se entró en la iglesia mayor, y yo tras él, y muy devotamente le vi oír misa y los otros oficios divinos, hasta que todo fue acabado y la gente ida. Entonces salimos de la iglesia.

A buen paso tendido comenzamos a ir por una calle abajo. Yo iba el más alegre del mundo en ver que no nos habíamos ocupado en buscar de comer. Bien consideré que debía ser hombre, mi nuevo amo, que se proveía en junto, y que ya la comida estaría a punto tal y como yo la deseaba y aun la había menester.

En este tiempo dio el reloj la una después de mediodía, y llegamos a una casa ante la cual mi amo se paró, y yo con él; y derribando el cabo de la capa sobre el lado izquierdo, sacó una llave de la manga y abrió su puerta y entramos en casa; la cual tenía la entrada obscura y lóbrega de tal manera que parece que ponía temor a los que en ella entraban, aunque dentro della estaba un patio pequeño y razonables cámaras.

Desque fuimos entrados, quita de sobre sí su capa y, preguntando si tenía las manos limpias, la sacudimos y doblamos, y muy limpiamente soplando un poyo que allí estaba, la puso en él. Y hecho esto, sentóse cabo della, preguntándome muy por extenso de dónde era y cómo había

venido a aquella ciudad; y yo le di más larga cuenta que quisiera, porque me parecía más conveniente hora de mandar poner la mesa y escudillar la olla que de lo que me pedía. Con todo eso, yo le satisfice de mi persona lo mejor que mentir supe, diciendo mis bienes y callando lo demás, porque me parecía no ser para en cámara.

Esto hecho, estuvo ansí un poco, y yo luego vi mala señal, por ser ya casi las dos y no le ver más aliento de comer que a un muerto. Después desto, consideraba aquel tener cerrada la puerta con llave ni sentir arriba ni abajo pasos de viva persona por la casa. Todo lo que yo había visto eran paredes, sin ver en ella silleta, ni tajo, ni banco, ni mesa, ni aun tal arcaz como el de marras: finalmente, ella parecía casa encantada. Estando así, díjome:

—Tú, mozo, ¿has comido?

—No, señor —dije yo—, que aún no eran dadas las ocho cuando con vuestra merced encontré.

—Pues, aunque de mañana, yo había almorzado, y cuando ansí como algo, hágote saber que hasta la noche me estoy ansí. Por eso, pásate como pudieres, que después cenaremos.

Vuestra merced crea, cuando esto le oí, que estuve en poco de caer de mi estado, no tanto de hambre como por conocer de todo en todo la fortuna serme adversa. Allí se me representaron de nuevo mis fatigas, y torné a llorar mis trabajos; allí se me vino a la memoria la consideración que hacía cuando me pensaba ir del clérigo, diciendo que aunque aquél era desventurado y mísero, por ventura toparía con otro peor: finalmente, allí lloré mi trabajosa vida pasada y mi cercana muerte venidera. Y con todo, disimulando lo mejor que pude:

—Señor, mozo soy que no me fatigo mucho por comer, bendito Dios. Deso me podré yo alabar entre todos

mis iguales por de mejor garganta, y ansí fui yo loado della fasta hoy día de los amos que yo he tenido.

—Virtud es ésa —dijo él— y por eso te querré yo
más, porque el hartar es de los puercos y el comer regla-
damente es de los hombres de bien.

—¡Bien te he entendido! —dije yo entre mí— ¡maldita tanta medicina y bondad como aquestos mis amos
que yo hallo hallan en la hambre!

Púseme a un cabo del portal y saqué unos pedazos
de pan del seno, que me habían quedado de los de por
Dios. Él, que vio esto, díjome:

—Ven acá, mozo. ¿Qué comes?

Yo lleguéme a él y mostréle el pan. Tomóme él un pedazo, de tres que eran el mejor y más grande, y díjome:

—Por mi vida, que parece éste buen pan.

—¡Y cómo! ¿Agora —dije yo—, señor, es bueno?

—Sí, a fe —dijo él—. ¿Adónde lo hubiste? ¿Si es amasado de manos limpias?

—No sé yo eso —le dije—; mas a mí no me pone asco
el sabor dello.

—Así plega a Dios —dijo el pobre de mi amo.

Y llevándolo a la boca, comenzó a dar en él tan fie-
ros bocados como yo en lo otro.

—Sabrosísimo pan está —dijo—, por Dios.

Y como le sentí de qué pie coxqueaba, dime priesa,
porque le vi en disposición, si acababa antes que yo, se
comediría a ayudarme a lo que me quedase; y con esto
acabamos casi a una. Y mi amo comenzó a sacudir con las
manos unas pocas de migajas, y bien menudas, que en los
pechos se le habían quedado, y entró en una camareta que
allí estaba, y sacó un jarro desbocado y no muy nuevo, y
desque hubo bebido convidóme con él. Yo, por hacer del
continente, dije:

—Señor, no bebo vino.

—Agua es, —me respondió—. Bien puedes beber.

Entonces tomé el jarro y bebí, no mucho, porque de sed no era mi congoja. Ansí estuvimos hasta la noche, hablando en cosas que me preguntaba, a las cuales yo le respondí lo mejor que supe. En este tiempo metióme en la cámara donde estaba el jarro de que bebimos, y díjome:

—Mozo, párate allí y verás, cómo hacemos esta cama, para que la sepas hacer de aquí adelante.

Púseme de un cabo y él del otro y hecimos la negra cama, en la cual no había mucho que hacer, porque ella tenía sobre unos bancos un cañizo, sobre el cual estaba tendida la ropa que, por no estar muy continuada a lavarse, no parecía colchón, aunque servía dél, con harta menos lana que era menester.

Aquél tendimos, haciendo cuenta de ablandalle, lo cual era imposible, porque de lo duro mal se puede hacer blando. El diablo del enjalma maldita la cosa tenía dentro de sí, que puesto sobre el cañizo todas las cañas se señalaban y parecían a lo proprio entrecuesto de flaquísimo puerco; y sobre aquel hambriento colchón un alfamar del mesmo jaez, del cual el color yo no pude alcanzar. Hecha la cama y la noche venida, díjome:

—Lázaro, ya es tarde, y de aquí a la plaza hay gran trecho. También en esta ciudad andan muchos ladrones que siendo de noche capean. Pasemos como podamos y mañana, venido el día, Dios hará merced; porque yo, por estar solo, no estoy proveído, antes he comido estos días por allá fuera, mas agora hacerlo hemos de otra manera.

—Señor, de mí —dije yo— ninguna pena tenga vuestra merced, que sé pasar una noche y aun más, si es menester, sin comer.

—Vivirás más y más sano —me respondió—, porque como decíamos hoy, no hay tal cosa en el mundo para vivir mucho que comer poco.

«Si por esa vía es, dije entre mí, nunca yo moriré, que siempre he guardado esa regla por fuerza, y aun espero en mi desdicha tenella toda mi vida». Y acostóse en la cama, poniendo por cabecera las calzas y el jubón, y mandóme echar a sus pies, lo cual yo hice; mas ¡maldito el sueño que yo dormí! Porque las cañas y mis salidos huesos en toda la noche dejaron de rifar y encenderse, que con mis trabajos, males y hambre, pienso que en mi cuerpo no había libra de carne; y también, como aquel día no había comido casi nada, rabiaba de hambre, la cual con el sueño no tenía amistad.

Maldíjeme mil veces (¡Dios me lo perdone!) y a mi ruin fortuna, allí lo más de la noche, y (lo peor) no osándome revolver por no despertalle, pedí a Dios muchas veces la muerte.

La mañana venida, levantámonos, y comienza a limpiar y sacudir sus calzas y jubón y sayo y capa (y yo que le servía de pelillo) y vístese muy a su placer de espacio. Echéle aguamanos, peinóse y puso su espada en el talabarte y, al tiempo que la ponía, díjome:

—¡Oh, si supieses, mozo, qué pieza es ésta! No hay marco de oro en el mundo por que yo la diese. Mas ansí ninguna de cuantas Antonio hizo, no acertó a ponelle los aceros tan prestos como ésta los tiene.

Y sacóla de la vaina y tentóla con los dedos, diciendo:

—¿Vesla aquí? Yo me obligo con ella cercenar un copo de lana.

Y yo dije entre mí: «y yo con mis dientes, aunque no son de acero, un pan de cuatro libras».

Tornóla a meter y ciñósela y un sartal de cuentas gruesas del talabarte, y con un paso sosegado y el cuerpo

derecho, haciendo con él y con la cabeza muy gentiles meneos, echando el cabo de la capa sobre el hombro y a veces so el brazo, y poniendo la mano derecha en el costado, salió por la puerta, diciendo:

—Lázaro, mira por la casa en tanto que voy a oír misa, y haz la cama, y ve por la vasija de agua al río, que aquí bajo está, y cierra la puerta con llave, no nos hurten algo, y ponla aquí al quicio, porque si yo viniere en tanto pueda entrar.

Y súbese por la calle arriba con tan gentil semblante y continente, que quien no le conociera pensara ser muy cercano pariente al conde de Arcos, o a lo menos camarero que le daba de vestir.

—¡Bendito seáis vos, Señor —quedé yo diciendo—, que dais la enfermedad y ponéis el remedio! ¿Quién encontrara a aquel mi señor que no piense, según el contento de sí lleva, haber anoche bien cenado y dormido en buena cama, y aun agora es de mañana, no le cuenten por muy bien almorzado? ¡Grandes secretos son, Señor, los que vos hacéis y las gentes ignoran! ¿A quién no engañara aquella buena disposición y razonable capa y sayo y quién pensara que aquel gentil hombre se pasó ayer todo el día sin comer, con aquel mendrugo de pan que su criado Lázaro trujo un día y una noche en el arca de su seno, do no se le podía pegar mucha limpieza, y hoy, lavándose las manos y cara, a falta de paño de manos, se hacía servir de la halda del sayo? Nadie por cierto lo sospechara. ¡Oh Señor, y cuántos de aquéstos debéis vos tener por el mundo derramados, que padecen por la negra que llaman honra lo que por vos no sufrirían!

Ansí estaba yo a la puerta, mirando y considerando estas cosas y otras muchas, hasta que el señor mi amo traspuso la larga y angosta calle, y como lo vi trasponer,

tornéme a entrar en casa, y en un credo la anduve toda, alto y bajo, sin hacer represa ni hallar en qué. Hago la negra dura cama y tomo el jarro y doy comigo en el río, donde en una huerta vi a mi amo en gran recuesta con dos rebozadas mujeres, al parecer de las que en aquel lugar no hacen falta, antes muchas tienen por estilo de irse a las mañanicas del verano a refrescar y almorzar sin llevar qué por aquellas frescas riberas, con confianza que no ha de faltar quién se lo dé, según las tienen puestas en esta costumbre aquellos hidalgos del lugar.

Y como digo, él estaba entre ellas hecho un Macías, diciéndoles más dulzuras que Ovidio escribió. Pero como sintieron dél que estaba bien enternecido, no se les hizo de vergüenza pedirle de almorzar con el acostumbrado pago. Él, sintiéndose tan frío de bolsa cuanto estaba caliente del estómago, tomóle tal calofrío que le robó la color del gesto, y comenzó a turbarse en la plática y a poner excusas no validas. Ellas, que debían ser bien instituídas, como le sintieron la enfermedad, dejáronle para el que era.

Yo, que estaba comiendo ciertos tronchos de berzas, con los cuales me desayuné, con mucha diligencia, como mozo nuevo, sin ser visto de mi amo, torné a casa, de la cual pensé barrer alguna parte, que era bien menester, mas no hallé con qué. Púseme a pensar qué haría, y parecióme esperar a mi amo hasta que el día demediase y si viniese y por ventura trajese algo que comiésemos; mas en vano fue mi experiencia.

Desque vi ser las dos y no venía y la hambre me aquejaba, cierro mi puerta y pongo la llave do mandó, y tórnome a mi menester. Con baja y enferma voz e inclinadas mis manos en los senos, puesto Dios ante mis ojos y la lengua en su nombre, comienzo a pedir pan por las puertas y casas más grandes que me parecía. Mas como yo este

oficio le hobiese mamado en la leche, quiero decir que con el gran maestro el ciego lo aprendí, tan suficiente discípulo salí que, aunque en este pueblo no había caridad ni el año fuese muy abundante, tan buena maña me di que, antes que el reloj diese las cuatro, ya yo tenía otras tantas libras de pan ensiladas en el cuerpo y más de otras dos en las mangas y senos. Volvíme a la posada y al pasar por la tripería pedí a una de aquellas mujeres, y diome un pedazo de uña de vaca con otras pocas de tripas cocidas.

Cuando llegué a casa, ya el bueno de mi amo estaba en ella, doblada su capa y puesta en el poyo, y él paseándose por el patio. Como entro, vínose para mí. Pensé que me quería reñir la tardanza, mas mejor lo hizo Dios. Preguntóme dó venía. Yo le dije:

—Señor, hasta que dio las dos estuve aquí, y de que vi que Vuestra Merced no venía, fuime por esa ciudad a encomendarme a las buenas gentes, y hanme dado esto que veis.

Mostréle el pan y las tripas que en un cabo de la halda traía, a lo cual él mostró buen semblante y dijo:

—Pues esperado te he a comer, y de que vi que no veniste, comí. Mas tú haces como hombre de bien en eso, que más vale pedillo por Dios que no hurtallo, y ansí Él me ayude como ello me parece bien. Y solamente te encomiendo no sepan que vives comigo, por lo que toca a mi honra, aunque bien creo que será secreto, según lo poco que en este pueblo soy conocido. ¡Nunca a él yo hubiera de venir!

—De eso pierda, señor, cuidado —le dije yo—, que maldito aquél que ninguno tiene de pedirme esa cuenta ni yo de dalla.

—Agora pues, come, pecador. Que, si a Dios place, presto nos veremos sin necesidad; aunque te digo que

después que en esta casa entré, nunca bien me ha ido. Debe ser de mal suelo, que hay casas desdichadas y de mal pie, que a los que viven en ellas pegan la desdicha. Ésta debe de ser sin dubda de ellas; mas yo te prometo, acabado el mes, no quede en ella aunque me la den por mía.

Sentéme al cabo del poyo y, porque no me tuviese por glotón, callé la merienda; y comienzo a cenar y morder en mis tripas y pan, y disimuladamente miraba al desventurado señor mío, que no partía sus ojos de mis faldas, que aquella sazón servían de plato. Tanta lástima haya Dios de mí como yo había dél, porque sentí lo que sentía, y muchas veces había por ello pasado y pasaba cada día. Pensaba si sería bien comedirme a convidalle; mas por me haber dicho que había comido, temía me no aceptaría el convite.

Finalmente, yo deseaba aquel pecador ayudase a su trabajo del mío, y se desayunase como el día antes hizo, pues había mejor aparejo, por ser mejor la vianda y menos mi hambre.

Quiso Dios cumplir mi deseo, y aun pienso que el suyo, porque, como comencé a comer y él se andaba paseando llegóse a mí y díjome:

—Dígote, Lázaro, que tienes en comer la mejor gracia que en mi vida vi a hombre, y que nadie te lo verá hacer que no le pongas gana aunque no la tenga.

«La muy buena que tú tienes, dije yo entre mí, te hace parecer la mía hermosa».

Con todo, parecióme ayudarle, pues se ayudaba y me abría camino para ello, y díjele:

—Señor, el buen aparejo hace buen artífice. Este pan está sabrosísimo y esta uña de vaca tan bien cocida y sazonada, que no habrá a quien no convide con su sabor.

—¿Uña de vaca es?

—Sí, señor.

—Dígote que es el mejor bocado del mundo, que no hay faisán que ansí me sepa.

—Pues pruebe, señor, y verá qué tal está.

Póngole en las uñas la otra y tres o cuatro raciones de pan de lo más blanco y asentóseme al lado, y comienza a comer como aquel que lo había gana, royendo cada huesecillo de aquéllos mejor que un galgo suyo lo hiciera.

—Con almodrote —decía— es éste singular manjar.

—Con mejor salsa lo comes tú —respondí yo de paso.

—Por Dios, que me ha sabido como si hoy no hobiera comido bocado—.

«¡Ansí me vengan los buenos años como es ello!», dije yo entre mí.

Pidióme el jarro del agua y díselo como lo había traído. Es señal que, pues no le faltaba el agua, que no le había a mi amo sobrado la comida. Bebimos, y muy contentos nos fuimos a dormir como la noche pasada.

Y por evitar prolijidad, desta manera estuvimos ocho o diez días, yéndose el pecador en la mañana con aquel contento y paso contado a papar aire por las calles, teniendo en el pobre Lázaro una cabeza de lobo. Contemplaba yo muchas veces mi desastre, que escapando de los amos ruines que había tenido y buscando mejoría, viniese a topar con quien no solo no me mantuviese, mas a quien yo había de mantener.

Con todo, le quería bien, con ver que no tenía ni podía más, y antes le había

lástima que enemistad; y muchas veces, por llevar a la posada con que él lo pasase, yo lo pasaba mal. Porque una mañana, levantándose el triste en camisa, subió a lo alto de la casa a hacer sus menesteres, y en tanto yo, por salir de sospecha, desenvolvíle el jubón y las calzas que a

la cabecera dejó, y hallé una bolsilla de terciopelo raso hecho cien dobleces y sin maldita la blanca ni señal que la hobiese tenido mucho tiempo.

—Éste —decía yo— es pobre y nadie da lo que no tiene. Mas el avariento ciego y el malaventurado mezquino clérigo que, con dárselo Dios a ambos, al uno de mano besada y al otro de lengua suelta, me mataban de hambre, aquéllos es justo desamar y aquéste de haber mancilla.

Dios es testigo que hoy día, cuando topo con alguno de su hábito, con aquel paso y pompa, le he lástima, con pensar si padece lo que aquél le vi sufrir; al cual con toda su pobreza holgaría de servir más que a los otros por lo que he dicho. Sólo tenía dél un poco de descontento: que quisiera yo me no tuviera tanta presunción, mas que abajara un poco su fantasía con lo mucho que subía su necesidad. Mas, según me parece, es regla ya entre ellos usada y guardada; aunque no haya cornado de trueco, ha de andar el birrete en su lugar. El Señor lo remedie, que ya con este mal han de morir.

Pues, estando yo en tal estado, pasando la vida que digo, quiso mi mala fortuna, que de perseguirme no era satisfecha, que en aquella trabajada y vergonzosa vivienda no durase. Y fue, como el año en esta tierra fuese estéril de pan, acordaron el Ayuntamiento que todos los pobres estranjeros se fuesen de la ciudad, con pregón que el que de allí adelante topasen fuese punido con azotes. Y así, ejecutando la ley, desde a cuatro días que el pregón se dio, vi llevar una procesión de pobres azotando por las Cuatro Calles, lo cual me puso tan gran espanto, que nunca osé desmandarme a demandar.

Aquí viera, quien vello pudiera, la abstinencia de mi casa y la tristeza y silencio de los moradores, tanto que nos acaeció estar dos o tres días sin comer bocado, ni hablaba

palabra. A mí diéronme la vida unas mujercillas hilanderas de algodón, que hacían bonetes y vivían par de nosotros, con las cuales yo tuve vecindad y conocimiento; que de la laceria que les traían me daban alguna cosilla, con la cual muy pasado me pasaba.

Y no tenía tanta lástima de mí como del lastimado de mi amo, que en ocho días maldito el bocado que comió. A lo menos, en casa bien lo estuvimos sin comer. No sé yo cómo o dónde andaba y qué comía. ¡Y velle venir a mediodía la calle abajo con estirado cuerpo, más largo que galgo de buena casta! Y por lo que toca a su negra que dicen honra, tomaba una paja de las que aun asaz no había en casa, y salía a la puerta escarbando los dientes que nada entre sí tenían, quejándose todavía de aquel mal solar diciendo:

—Malo está de ver, que la desdicha desta vivienda lo hace. Como ves, es lóbrega, triste, obscura. Mientras aquí estuviéremos, hemos de padecer. Ya deseo que se acabe este mes por salir della.

Pues, estando en esta afligida y hambrienta persecución un día, no sé por cual dicha o ventura, en el pobre poder de mi amo entró un real, con el cual él vino a casa tan ufano como si tuviera el tesoro de Venecia; y con gesto muy alegre y risueño me lo dio, diciendo:

—Toma, Lázaro, que Dios ya va abriendo su mano. Ve a la plaza y merca pan y vino y carne: ¡quebremos el ojo al diablo! Y más, te hago saber, porque te huelgues, que he alquilado otra casa, y en ésta desastrada no hemos de estar más de en cumplimiento el mes. ¡Maldita sea ella y el que en ella puso la primera teja, que con mal en ella entré! Por Nuestro Señor, cuanto ha que en ella vivo, gota de vino ni bocado de carne no he comido, ni he habido descanso ninguno; mas ¡tal vista tiene y tal

obscuridad y tristeza! Ve y ven presto, y comamos hoy como condes.

Tomo mi real y jarro y a los pies dándoles priesa, comienzo a subir mi calle encaminando mis pasos para la plaza muy contento y alegre. Mas ¿qué me aprovecha si está constituido en mi triste fortuna que ningún gozo me venga sin zozobra? Y ansí fue éste; porque yendo la calle arriba, echando mi cuenta en lo que le emplearía que fuese mejor y más provechosamente gastado, dando infinitas gracias a Dios que a mi amo había hecho con dinero, a deshora me vino al encuentro un muerto, que por la calle abajo muchos clérigos y gente en unas andas traían. Arriméme a la pared por darles lugar, y desque el cuerpo pasó, venían luego a par del lecho una que debía ser mujer del difunto, cargada de luto, y con ella otras muchas mujeres; la cual iba llorando a grandes voces y diciendo:

—Marido y señor mío, ¿adónde os me llevan? ¡A la casa triste y desdichada, a la casa lóbrega y obscura, a la casa donde nunca comen ni beben!

Yo que aquello oí, juntóseme el cielo con la tierra, y dije: «¡oh desdichado de mí! Para mi casa llevan este muerto».

Dejo el camino que llevaba y hendí por medio de la gente, y vuelvo por la calle abajo a todo el más correr que pude para mi casa, y entrando en ella cierro a grande priesa, invocando el auxilio y favor de mi amo, abrazándome dél, que me venga a ayudar y a defender la entrada. El cual algo alterado, pensando que fuese otra cosa, me dijo:

—¿Qué es eso, mozo? ¿Qué voces das? ¿Qué has? ¿Por qué cierras la puerta con tal furia?

—¡Oh señor —dije yo— acuda aquí, que nos traen acá un muerto!

—¿Cómo así? —respondió él.

—Aquí arriba lo encontré, y venía diciendo su mujer: «marido y señor mio, ¿adónde os llevan? ¡A la casa lóbrega y obscura, a la casa triste y desdichada, a la casa donde nunca comen ni beben!». Acá, señor, nos le traen.

Y ciertamente, cuando mi amo esto oyó, aunque no tenía por qué estar muy risueño, rio tanto que muy gran rato estuvo sin poder hablar. En este tiempo tenía ya yo echada la aldaba a la puerta y puesto el hombro en ella por más defensa. Pasó la gente con su muerto, y yo todavía me recelaba que nos le habían de meter en casa; y después fue ya más harto de reír que de comer, el bueno de mi amo díjome:

—Verdad es, Lázaro; según la viuda lo va diciendo, tú tuviste razón de pensar lo que pensaste. Mas, pues Dios lo ha hecho mejor y pasan adelante, abre, abre, y ve por de comer.

—Déjalos, señor, acaben de pasar la calle —dije yo

Al fin vino mi amo a la puerta de la calle, y ábrela esforzándome, que bien era menester, según el miedo y alteración, y me torno a encaminar. Mas aunque comimos bien aquel día, maldito el gusto yo tomaba en ello, ni en aquellos tres días torné en mi color; y mi amo muy risueño todas las veces que se le acordaba aquella mi cosideración.

De esta manera estuve con mi tercero y pobre amo, que fue este escudero, algunos días, y en todos deseando saber la intención de su venida y estada en esta tierra; porque desde el primer día que con él asenté, le conocí ser estranjero, por el poco conocimiento y trato que con los naturales della tenía. Al fin se cumplió mi deseo y supe lo que deseaba; porque un día que habíamos comido razonablemente y estaba algo contento, contóme su hacienda y díjome ser de Castilla la Vieja, y que había dejado su

tierra no más de por no quitar el bonete a un caballero su vecino.

—Señor —dije yo— si él era lo que decís y tenía más que vos, ¿no errábades en no quitárselo primero, pues decís que él también os lo quitaba?

—Sí es, y sí tiene, y también me lo quitaba él a mí; mas, de cuantas veces yo se le quitaba primero, no fuera malo comedirse él alguna y ganarme por la mano.

—Paréceme, señor —le dije yo— que en eso no mirara, mayormente con mis mayores que yo y que tienen más.

—Eres mochacho —me respondió— y no sientes las cosas de la honra, en que el día de hoy está todo el caudal de los hombres de bien. Pues te hago saber que yo soy, como vees, un escudero; mas ¡vótote a Dios!, si al conde topo en la calle y no me quita muy bien quitado del todo el bonete, que otra vez que venga, me sepa yo entrar en una casa, fingiendo yo en ella algún negocio, o atravesar otra calle, si la hay, antes que llegue a mí, por no quitárselo. Que un hidalgo no debe a otro que a Dios y al rey nada, ni es justo, siendo hombre de bien, se descuide un punto de tener en mucho su persona. Acuérdome que un día deshonré en mi tierra a un oficial, y quise ponerle las manos, porque cada vez que le topaba me decía:

—Mantenga Dios a vuestra merced.

—Vos, don villano ruin —le dije yo— ¿por qué no sois bien criado? —¿Manténgaos Dios, me habéis de decir, como si fuese quienquiera?

De allí adelante, de aquí acullá, me quitaba el bonete y hablaba como debía.

—¿Y no es buena manera de saludar un hombre a otro —dije yo— decirle que le mantenga Dios?

—¡Mira mucho de enhoramala! —dijo él—. A los hombres de poca arte dicen eso, mas a los más altos, como yo, no les han de hablar menos de: «Beso las manos de vuestra merced», o por lo menos: «Bésoos, señor, las manos», si el que me habla es caballero. Y ansí, de aquél de mi tierra que me atestaba de mantenimiento nunca más le quise sufrir, ni sufriría ni sufriré a hombre del mundo, del rey abajo, que «Manténgaos Dios» me diga.

—Pecador de mí —dije yo—, por eso tiene tan poco cuidado de mantenerte, pues no sufres que nadie se lo ruegue.

—Mayormente —dijo— que no soy tan pobre que no tengo en mi tierra un solar de casas, que a estar ellas en pie y bien labradas, diez y seis leguas de donde nací, en aquella Costanilla de Valladolid, valdrían más de doscientas veces mil maravedís, según se podrían hacer grandes y buenas; y tengo un palomar que, a no estar derribado como está, daría cada año más de doscientos palominos; y otras cosas que me callo, que dejé por lo que tocaba a mi honra. Y vine a esta ciudad, pensando que hallaría un buen asiento, mas no me ha sucedido como pensé. Canónigos y señores de la iglesia, muchos hallo, mas es gente tan limitada que no los sacaran de su paso todo el mundo. Caballeros de media talla, también me ruegan; mas servir con éstos es gran trabajo, porque de hombre os habéis de convertir en malilla y si no. «Andá con Dios» os dicen. Y las más veces son los pagamentos a largos plazos, y las más y las más ciertas, comido por servido. Ya cuando quieren reformar conciencia y satisfaceros vuestros sudores, sois librados en la recámara, en un sudado jubón o raída capa o sayo. Ya cuando asienta un hombre con un señor de título, todavía pasa su lacería. ¿Pues por ventura no hay en mi habilidad para servir y contestar a éstos? Por Dios, si

con él topase, muy gran su privado pienso que fuese y que mil servicios le hiciese, porque yo sabría mentille tan bien como otro, y agradalle a las mil maravillas: reílle ya mucho sus donaires y costumbres, aunque no fuesen las mejores del mundo; nunca decirle cosa con que le pesase, aunque mucho le cumpliese; ser muy diligente en su persona en dicho y hecho; no me matar por no hacer bien las cosas que él no había de ver, y ponerme a reñir, donde lo oyese, con la gente de servicio, porque pareciese tener gran cuidado de lo que a él tocaba; si riñese con algún su criado, dar unos puntillos agudos para la encender la ira y que pareciesen en favor del culpado; decirle bien de lo que bien le estuviese y, por el contrario, ser malicioso, mofador, malsinar a los de casa y a los de fuera; pesquisar y procurar de saber vidas ajenas para contárselas; y otras muchas galas de esta calidad que hoy día se usan en palacio. Y a los señores dél parecen bien, y no quieren ver en sus casas hombres virtuosos, antes los aborrecen y tienen en poco y llaman necios y que no son personas de negocios ni con quien el señor se puede descuidar. Y con éstos los astutos usan, como digo, el día de hoy, de lo que yo usaría. Mas no quiere mi ventura que le halle.

Desta manera lamentaba también su adversa fortuna mi amo, dándome relación de su persona valerosa.

Pues, estando en esto, entró por la puerta un hombre y una vieja. El hombre le pide el alquiler de la casa y la vieja el de la cama. Hacen cuenta, y de dos en dos meses le alcanzaron lo que él en un año no alcanzara: pienso que fueron doce o trece reales. Y él les dio muy buena respuesta: que saldría a la plaza a trocar una pieza de a dos, y que a la tarde volviese. Mas su salida fue sin vuelta. Por manera que a la tarde ellos volvieron, mas fue tarde. Yo les

dije que aún no era venido. Venida la noche, y él no, yo hube miedo de quedar en casa solo, y fuime a las vecinas y contéles el caso, y allí dormí.

Venida la mañana, los acreedores vuelven y preguntan por el vecino, mas a estotra puerta. Las mujeres le responden: «Veis aquí su mozo y la llave de la puerta».

Ellos me préguntaron por él y díjele que no sabía adónde estaba y que tampoco había vuelto a casa desde que salió a trocar la pieza, y que pensaba que de mí y de ellos se había ido con el trueco. De que esto me oyeron, van por un alguacil y un escribano. Y helos do vuelven luego con ellos, y toman la llave, y llámanme, y llaman testigos, y abren la puerta, y entran a embargar la hacienda de mi amo hasta ser pagados de su deuda. Anduvieron toda la casa y halláronla desembarazada, como he contado, y dícenme:

—¿Qué es de la hacienda de tu amo, sus arcas y paños de pared y alhajas de casa?

—No sé yo eso —le respondí.

—Sin duda —dicen ellos— esta noche lo deben de haber alzado y llevado a alguna parte. Señor alguacil, prended a este mozo, que él sabe dónde está.

En esto vino el alguacil, y echóme mano por el collar del jubón, diciendo:

—Mochacho, tú eres preso si no descubres los bienes deste tu amo.

Yo, como en otra tal no me hubiese visto (porque asido del collar, sí, había sido muchas e infinitas veces, mas era mansamente dél trabado, para que mostrase el camino al que no vía) yo hube mucho miedo, y llorando prometíle de decir lo que preguntaban.

—Bien está —dicen ellos—, pues di todo lo que sabes, y no hayas temor.

Sentóse el escribano en un poyo para escrebir el inventario, preguntándome qué tenía.

—Señores —dije yo—, lo que este mi amo tiene, según él me dijo, es un muy buen solar de casas y un palomar derribado.

—Bien está —dicen ellos—. Por poco que eso valga, hay para nos entregar de la deuda. ¿Y a qué parte de la ciudad tiene eso? —me preguntaron.

—En su tierra —respondí.

—Por Dios, que está bueno el negocio —dijeron ellos—. ¿Y adónde es su tierra?

—De Castilla la Vieja me dijo él que era —le dije yo.

Riéronse mucho el alguacil y el escribano, diciendo:

—Bastante relación es ésta para cobrar vuestra deuda, aunque mejor fuese.

Las vecinas, que estaban presentes, dijeron:

—Señores, éste es un niño inocente, y ha pocos días que está con ese escudero, y no sabe dél más que vuestras mercedes, sino cuánto el pecadorcico se llega aquí a nuestra casa, y le damos de comer lo que podemos por amor de Dios, y a las noches se iba a dormir con él.

Vista mi inocencia, dejáronme, dándome por libre. Y el alguacil y el escribano piden al hombre y a la mujer sus derechos, sobre lo cual tuvieron gran contienda y ruido, porque ellos alegaron no ser obligados a pagar, pues no había de qué ni se hacía el embargo. Los otros decían que habían dejado de ir a otro negocio que les importaba más por venir a aquél. Finalmente, después de dadas muchas voces, al cabo carga un porquerón con el viejo alfamar de la vieja, aunque no iba muy cargado. Allá van todos cinco dando voces. No sé en qué paró. Creo yo que el pecador alfamar pagara por todos, y bien se empleaba, pues el

tiempo que había de reposar y descansar de los trabajos pasados, se andaba alquilando.

Así, como he contado, me dejó mi pobre tercero amo, do acabé de conocer mi ruin dicha, pues, señalándose todo lo que podría contra mí, hacía mis negocios tan al revés, que los amos, que suelen ser dejados de los mozos, en mí no fuese ansí, mas que mi amo me dejase y huyese de mí.

Tratado Cuarto
Cómo Lázaro se asentó con un fraile de la Merced,
y de lo que le acaeció con él.

Hube de buscar el cuarto, y éste fue un fraile de la Merced, que las mujercillas que digo me encaminaron, al cual
ellas le llamaban pariente: gran enemigo del coro y de comer en el convento, perdido por andar fuera, amicísimo
de negocios seglares y visitar, tanto que pienso que rompía él más zapatos que todo el convento. Éste me dio los
primeros zapatos que rompí en mi vida, mas no me dura-
ron ocho días, ni yo pude con su trote durar más. Y por
esto y por otras cosillas que no digo, salí dél.

Tratado Quinto
Cómo Lázaro se asentó con un buldero,
y de las cosas que con él pasó.

En el quinto por mi ventura di, que fue un buldero, el
más desenvuelto y desvengonzado y el mayor echador
dellas que jamás yo vi ni ver espero ni pienso que nadie
vio; porque tenía y buscaba modos y maneras y muy so-
tiles invenciones.

En entrando en los lugares do habían de presentar la
bula, primero presentaba a los clérigos o curas algunas cosillas, no tampoco de mucho valor ni substancia: una le-
chuga murciana, si era por el tiempo, un par de limas o
naranjas, un melocotón, un par de duraznos, cada sendas
peras verdiniales.

Ansí procuraba tenerlos propicios porque favorecie-
sen su negocio y llamasen sus feligreses a tomar la bula.

Ofreciéndosele a él las gracias, informábase de la suficiencia dellos. Si decían que entendían, no hablaba palabra en latín por no dar tropezón; mas aprovechábase de
un gentil y bien cortado romance y desenvoltísima lengua. Y si sabía que los dichos clérigos eran de los reve-
rendos, digo que más con dineros que con letras y con
reverendas se ordena, hacíase entre ellos un Santo Tomás
y hablaba dos horas en latín: a lo menos, que lo parecía
aunque no lo era.

Cuando por bien no le tomaban las bulas, buscaba
cómo por mal se las tomasen, y para aquello hacía moles-
tias al pueblo e otras veces con mañosos artificios. Y

porque todos los que le veía hacer sería largo de contar, diré uno muy sotil y donoso, con el cual probaré bien su suficiencia.

En un lugar de la Sagra de Toledo había predicado dos o tres días, haciendo sus acostumbradas diligencias, y no le habían tomado bula, ni a mi ver tenían intención de se la tomar. Estaba dado al diablo con aquello y, pensando qué hacer, se acordó de convidar al pueblo, para otro día de mañana despedir la bula.

Y esa noche, después de cenar, pusiéronse a jugar la colación él y el alguacil, y sobre el juego vinieron a reñir y a haber malas palabras. Él llamó al alguacil ladrón, y el otro a él falsario. Sobre esto, el señor comisario mi señor tomó un lanzón que en el portal do jugaban estaba. El aguacil puso mano a su espada, que en la cinta tenía. Al ruido y voces y que todos dimos, acuden los huéspedes y vecinos y métense en medio, y ellos muy enojados procurándose desembarazar de los que en medio estaban, para se matar. Mas como la gente al gran ruido cargase y la casa estuviese llena della, viendo que no podían afrentarse con las armas, decíanse palabras injuriosas, entre las cuales el alguacil dijo a mi amo que era falsario y las bulas que predicaba que eran falsas.

Finalmente, que los del pueblo, viendo que no bastaban a ponellos en paz, acordaron de llevar el alguacil de la posada a otra parte. Y así quedó mi amo muy enojado; y después que los huéspedes y vecinos le hubieron rogado que perdiese el enojo y se fuese a dormir, se fue. Y así nos echamos todos.

La mañana venida, mi amo se fue a la iglesia y mandó tañer a misa y al sermón para despedir la bula. Y el pueblo se juntó, el cual andaba murmurando de las bulas, diciendo como eran falsas y que el mesmo alguacil riñendo

lo había descubierto; de manera que tras que tenían mala gana de tomalla, con aquello de todo la aborrecieron.

El señor comisario se subió al púlpito y comienza su sermón, y a animar la gente a que no quedasen sin tanto bien e indulgencia como la santa bula traía. Estando en lo mejor del sermón, entra por la puerta de la iglesia el alguacil y, desque hizo oración, levantóse y con voz alta y pausada cuerdamente comenzó a decir:

—Buenos hombres, oídme una palabra, que después oiréis a quien quisiéredes. Yo vine aquí con este echacuervo que os predica, el cual engañó y dijo que le favoreciese en este negocio y que partiríamos la ganancia. Y agora, visto el daño que haría a mi conciencia y a vuestras haciendas, arrepentido de lo hecho, os declaro claramente que las bulas que predica son falsas, y que no le creáis ni las toméis, y que yo *directe* ni *indirecte* no soy parte en ellas, y que desde agora dejo la vara y doy con ella en el suelo; y si algún tiempo éste fuere castigado por la falsedad, que vosotros me seáis testigos como yo no soy con él ni le doy a ello ayuda, antes os desengaño y declaro su maldad.

Y acabó su razonamiento. Algunos hombres honrados que allí estaban se quisieron levantar y echar el alguacil fuera de la iglesia, por evitar escándalo. Mas mi amo les fue a la mano y mandó a todos que so pena de excomunión no le estorbasen, mas que le dejasen decir todo lo que quisiese. Y ansí, él también tuvo silencio, mientras el alguacil dijo todo lo que he dicho.

Como calló, mi amo le preguntó, si quería decir más, que lo dijese. El alguacil dijo:

—Harto hay más que decir de vos y de vuestra falsedad, mas por agora basta.

El señor comisario se hincó de rodillas en el púlpito y, puestas las manos y mirando al cielo, dijo ansí:

—Señor Dios, a quien ninguna cosa es escondida, antes todas manifiestas, y a quien nada es imposible, antes todo posible, tú sabes la verdad y cuán injustamente yo soy afrentado. En lo que a mí toca, yo lo perdono porque tú, Señor, me perdones. No mires a aquél que no sabe lo que hace ni dice; mas la injuria a ti hecha, te suplico, y por justicia te pido, no disimules; porque alguno que está aquí, que por ventura pensó tomar aquesta santa bula, dando crédito a las falsas palabras de aquel hombre, lo dejará de hacer. Y pues es tanto perjuicio del prójimo, te suplico yo, Señor, no lo disimules, mas luego muestra aquí milagro, y sea desta manera: que si es verdad lo que aquél dice y que traigo maldad y falsedad, este púlpito se hunda conmigo y meta siete estados debajo de tierra, do él ni yo jamás parezcamos. Y si es verdad lo que yo digo y aquél, persuadido del demonio, por quitar y privar a los que están presentes de tan gran bien, dice maldad, también sea castigado y de todos conocida su malicia.

Apenas había acabado su oración el devoto señor mío, cuando el negro alguacil cae de su estado y da tan gran golpe en el suelo que la iglesia toda hizo resonar, y comenzó a bramar y echar espumajos por la boca y torcella, y hacer visajes con el gesto, dando de pie y de mano, revolviéndose por aquel suelo a una parte y a otra. El estruendo y voces de la gente era tan grande, que no se oían unos a otros. Algunos estaban espantados y temerosos. Unos decían:

—El Señor le socorra y valga.

Otros:

—Bien se le emplea, pues levantaba tan falso testimonio.

Finalmente, algunos que allí estaban, y a mi parecer no sin harto temor, se llegaron y le trabaron de los brazos,

con los cuales daba fuertes puñadas a los que cerca dél estaban. Otros le tiraban por las piernas y tuvieron reciamente, porque no había mula falsa en el mundo que tan recias coces tirase. Y así le tuvieron un gran rato, porque más de quince hombres estaban sobre él, y a todos daba las manos llenas, y si se descuidaban, en los hocicos.

A todo esto, el señor mi amo estaba en el púlpito de rodillas, las manos y los ojos puestos en el cielo, transportado en la divina esencia, que el planto y ruido y voces que en la iglesia había no eran parte para apartalle de su divina contemplación.

Aquellos buenos hombres llegaron a él, y dando voces le despertaron y le suplicaron quisiese socorrer a aquel pobre que estaba muriendo, y que no mirase a las cosas pasadas ni a sus dichos malos, pues ya dellos tenía el pago; mas si en algo podría aprovechar para librarle del peligro y pasión que padecía, por amor de Dios lo hiciese, pues ellos veían clara la culpa del culpado y la verdad y bondad suya, pues a su petición y venganza el Señor no alargó el castigo.

El señor comisario, como quien despierta de un dulce sueño, los miró y miró al delincuente y a todos los que alderredor estaban, y muy pausadamente les dijo:

—Buenos hombres, vosotros nunca habíades de rogar por un hombre en quien Dios tan señaladamente se ha señalado; mas pues él nos manda que no volvamos mal por mal y perdonemos las injurias, con confianza podremos suplicarle que cumpla lo que nos manda, y Su Majestad perdone a éste que le ofendió poniendo en su santa fe obstáculo. Vamos todos a suplicalle.

Y así bajó del púlpito y encomendó a que muy devotamente suplicasen a Nuestro Señor tuviese por bien de perdonar a aquel pecador, y volverle en su salud y sano

juicio, y lanzar dél el demonio, si Su Majestad había permitido que por su gran pecado en él entrase. Todos se hincaron de rodillas, y delante del altar con los clérigos comenzaban a cantar con voz baja una letanía. Y viniendo él con la cruz y agua bendita, después de haber sobre él cantado, el señor mi amo, puestas las manos al cielo y los ojos que casi nada se le parecía sino un poco de blanco, comienza una oración no menos larga que devota, con la cual hizo llorar a toda la gente como suelen hazer en los sermones de Pasión, de predicador y auditorio devoto, suplicando a Nuestro Señor, pues no quería la muerte del pecador, sino su vida y arrepentimiento, que aquel encaminado por el demonio y persuadido de la muerte y pecado, le quisiese perdonar y dar vida y salud, para que se arrepintiese y confesase sus pecados.

Y esto hecho, mandó traer la bula y púsosela en la cabeza; y luego el pecador del alguacil comenzó poco a poco a estar mejor y tornar en sí. Y desque fue bien vuelto en su acuerdo, echóse a los pies del señor comisario y demandóle perdón, y confesó haber dicho aquello por la boca y mandamiento del demonio, lo uno por hacer a él daño y vengarse del enojo, lo otro y más principal, porque el demonio recibía mucha pena del bien que allí se hiciera en tomar la bula. El señor mi amo le perdonó, y fueron hechas las amistades entre ellos; y a tomar la bula hubo tanta priesa, que casi ánima viviente en el lugar no quedó sin ella: marido y mujer, e hijos e hijas, mozos y mozas.

Divulgóse la nueva de lo acaecido por los lugares comarcanos, y cuando a ellos llegábamos, no era menester sermón ni ir a la iglesia, que a la posada la venían a tomar como si fueran peras que se dieran de balde. De manera que en diez o doce lugares de aquellos alderredores

donde fuimos, echó el señor mi amo otras tantas mil bulas sin predicar sermón.

Cuando él hizo el ensayo, confieso mi pecado que también fui dello espantado y creí que ansí era, como otros muchos; mas con ver después la risa y burla que mi amo y el alguacil llevaban y hacían del negocio, conocí como había sido industriado por el industrioso e inventivo de mi amo.

{Acaeciónos en otro lugar, el cual no quiero nombrar por su honra, lo siguiente; y fue que mi amo predicó dos o tres sermones y do a Dios la bula tomaban. Visto por el asunto de mi amo lo que pasaba y que, aunque decía se fiaban por un año, no aprovechaba y que estaban tan rebeldes en tomarla y que su trabajo era perdido, hizo tocar las campanas para despedirse. Y hecho su sermón y despedido desde el púlpito, ya que se quería abajar, llamó al escribano y a mí, que iba cargado con unas alforjas, e hízonos llegar al primer escalón, y tomó al alguacil las que en las manos llevaba y las que no tenía en las alforjas, púsolas junto a sus pies, y tornóse a poner en el púlpito con cara alegre y arrojar desde allí de diez en diez y de veinte en veinte de sus bulas hacia todas partes, diciendo:

—Hermanos míos, tomad, tomad de las gracias que Dios os envía hasta vuestras casas, y no os duela, pues es obra tan pía la redención de los captivos cristianos que están en tierra de moros. Porque no renieguen nuestra santa fe y vayan a las penas del infierno, siquiera ayudadles con vuestra limosna y con cinco paternostres y cinco avemarías, para que salgan de cautiverio. Y aun también aprovechan para los padres y hermanos y deudos que tenéis en el Purgatorio, como lo veréis en esta santa bula.

Como el pueblo las vio ansí arrojar, como cosa que se daba de balde y ser venida de la mano de Dios, tomaban a

más tomar, aun para los niños de la cuna y para todos sus defuntos, contando desde los hijos hasta el menor criado que tenían, contándolos por los dedos. Vímonos en tanta priesa, que a mí aínas me acabaran de romper un pobre y viejo sayo que traía, de manera que certifico a Vuestra Merced que en poco más de una hora no quedó bula en las alforjas, y fue necesario ir a la posada por más.

Acabados de tomar todos, dijo mi amo desde el púlpito a su escribano y al del concejo que se levantasen y, para que se supiese quién eran los que habían de gozar de la santa indulgencia y perdones de la santa bula y para que él diese buena cuenta a quien le había enviado, se escribiesen. Y así luego todos de muy buena voluntad decían las que habían tomado, contando por orden los hijos y criados y defuntos. Hecho su inventario, pidió a los alcaldes que por caridad, porque él tenía que hacer en otra parte, mandasen al escribano le diese autoridad del inventario y memoria de las que allí quedaban, que, según decía el escribano, eran más de dos mil. Hecho esto, él se despedió con mucha paz y amor, y ansí nos partimos deste lugar; y aun, antes que nos partiésemos, fue preguntado él por el teniente cura del lugar y por los regidores si la bula aprovechaba para las criaturas que estaban en el vientre de sus madres, a lo cual él respondió que según las letras que él había estudiado que no, que lo fuesen a preguntar a los doctores más antiguos que él, y que esto era lo que sentía en este negocio.

E ansí nos partimos, yendo todos muy alegres del buen negocio. Decía mi amo al alguacil y escribano:

—¿Qué os parece, como a estos villanos, que con solo decir «Cristianos viejos somos», sin hacer obras de caridad, se piensan salvar sin poner nada de su hacienda?

Pues, por vida del licenciado Pascasio Gómez, que a su costa se saquen más de diez cautivos.

Y ansí nos fuimos hasta otro lugar de aquel cabo de Toledo, hacia la Mancha, que se dice, adonde topamos otros más obtinados en tomar bulas. Hechas mi amo y los demás que íbamos nuestras diligencias, en dos fiestas que allí estuvimos no se habían echado treinta bulas. Visto por mi amo la gran perdición y la mucha costa que traía, (y) el ardideza que el sotil de mi amo tuvo para hacer despender sus bulas, fue que este día dija la misa mayor, y después de acabado el sermón y vuelto al altar, tomó una cruz que traía de poco más de un palmo, y en un brasero de lumbre que encima del altar había, el cual habían traído para calentarse las manos porque hacía gran frío, púsole detrás del misal sin que nadie mirase en ello, y allí sin decir nada puso la cruz encima la lumbre. Y, ya que hubo acabado la misa y echada la bendición, tomóla con un pañizuelo, bien envuelta la cruz en la mano derecha y en la otra la bula, y ansí se bajó hasta la postrera grada del altar, adonde hizo que besaba la cruz, e hizo señal que viniesen adorar la cruz.

Y ansí vinieron los alcaldes los primeros y los más ancianos del lugar, viniendo uno a uno como se usa. Y el primero que llegó, que era un alcalde viejo, aunque él le dio a besar la cruz bien delicadamente, se abrasó los rostros y se quitó presto afuera. Lo cual visto por mi amo, le dijo:

—¡Paso, quedo, señor alcalde! ¡Milagro!

Y ansí hicieron otros siete o ocho, y a todos les decía:

—¡Paso, señores! ¡Milagro!

Cuando él vido que los rostriquemados bastaban para testigos del milagro, no la quiso dar más a besar. Subióse al pie del altar y de allí decía cosas maravillosas, diciendo que por la poca caridad que había en ellos había Dios

permitido aquel milagro y que aquella cruz había de ser llevada a la santa iglesia mayor de su Obispado; que por la poca caridad que en el pueblo había, la cruz ardía. Fue tanta la prisa que hubo en el tomar de la bula, que no bastaban dos escribanos ni los clérigos ni sacristanes a escribir. Creo de cierto que se tomaron más de tres mil bulas, como tengo dicho a Vuestra Merced Después, al partir, él fue con gran reverencia, como es razón, a tomar la santa cruz, diciendo que la había de hacer engastonar en oro, como era razón. Fue rogado mucho del concejo y clérigos del lugar les dejase allí aquella santa cruz por memoria del milagro allí acaecido. Él en ninguna manera lo quería hacer y al fin, rogado de tantos, se la dejó; con que le dieron otra cruz vieja que tenían antigua de plata, que podrá pesar dos o tres libras, según decían.

Y ansí nos partimos alegres con el buen trueque y con haber negociado bien. En todo no vio nadie lo susodicho sino yo, porque me subía par del altar para ver si había quedado algo en las ampollas, para ponello en cobro, como otras veces yo lo tenía de costumbre. Y como allí me vio, púsose el dedo en la boca haciéndome señal que callase. Yo ansí lo hice porque me cumplía, aunque, después que vi el milagro, no cabía en mí por echallo fuera, sino que el temor de mi astuto amo no me lo dejaba comunicar con nadie, ni nunca de mí salió, porque me tomó juramento que no descubriese el milagro. Y ansí lo hice hasta agora}. Y aunque mochacho, cayóme mucho en gracia, y dije entre mí: «¡Cuántas destas deben hacer estos burladores entre la inocente gente!».

Finalmente, estuve con este mi quinto amo cerca de cuatro meses, en los cuales pasé también hartas fatigas {aunque me daba bien de comer a costa de los curas y otros clérigos do iba a predicar}.

Tratado Sexto
Cómo Lázaro se asentó con un capellán,
y lo que con él pasó.

Después desto, asenté con un maestro de pintar panderos para molelle los colores, y también sufrí mil males.

Siendo ya en este tiempo buen mozuelo, entrando un día en la iglesia mayor, un capellán della me recibió por suyo, y púsome en poder un asno y cuatro cántaros y un azote, y comencé a echar agua por la cibdad. Éste fue el primer escalón que yo subí para venir a alcanzar buena vida, porque mi boca era medida. Daba cada día a mi amo treinta maravedís ganados, y los sábados ganaba para mí, y todo lo demás, entre semana, de treinta maravedís.

Fueme tan bien en el oficio que al cabo de cuatro años que lo usé, con poner en la ganancia buen recaudo, ahorré para me vestir muy honradamente de la ropa vieja, de la cual compré un jubón de fustán viejo y un sayo raído de manga tranzada y puerta, y una capa que había sido frisada, y una espada de las viejas primeras de Cuéllar.

Desque me vi en hábito de hombre de bien, dije a mi amo se tomase su asno, que no quería más seguir aquel oficio.

Tratado Séptimo
Cómo Lázaro se asentó con un alguacil,
y de lo que le acaeció con él.

Despedido del capellán, asenté por hombre de justicia con un alguacil, mas muy poco viví con él, por parecerme oficio peligroso; mayormente, que una noche nos corrieron a mí y a mi amo a pedradas y a palos unos retraídos, y a mi amo, que esperó, trataron mal, mas a mí no me alcanzaron. Con esto renegué del trato.

Y pensando en qué modo de vivir haría mi asiento por tener descanso y ganar algo para la vejez, quiso Dios alumbrarme y ponerme en camino y manera provechosa; y con favor que tuve de amigos y señores, todos mis trabajos y fatigas hasta entonces pasados fueron pagados con alcanzar lo que procuré, que fue un oficio real, viendo que no hay nadie que medre sino los que le tienen; en el cual el día de hoy vivo y resido a servicio de Dios y de vuestra merced.

Y es que tengo cargo de pregonar los vinos que en esta ciudad se venden, y en almonedas y cosas perdidas, acompañar los que padecen persecuciones por justicia y declarar a voces sus delitos: pregonero, hablando en buen romance {en el cual oficio un día que ahorcábamos un apañador en Toledo y llevaba una buena soga de esparto, conocí y caí en la cuenta de la sentencia que aquel mi ciego amo había dicho en Escalona, y me arrepentí del mal pago que le di por lo mucho que me enseñó, que, después de Dios, él me dio industria para llegar al estado que ahora estó}.

Hame sucedido tan bien, yo le he usado tan fácilmente, que casi todas las cosas al oficio tocantes pasan por mi mano: tanto que en toda la ciudad el que ha de echar vino a vender o algo, si Lázaro de Tormes no entiende en ello, hacen cuenta de no sacar provecho.

En este tiempo, viendo mi habilidad y buen vivir, teniendo noticia de mi persona el señor arcipreste de Sant Salvador, mi señor, y servidor y amigo de vuestra merced, porque le pregonaba sus vinos, procuró casarme con una criada suya; y visto por mí que de tal persona no podía venir sino bien y favor, acordé de lo hacer.

Y así me casé con ella, y hasta agora no estoy arrepentido; porque, allende de ser buena hija y diligente, servicial, tengo en mi señor acipreste todo favor y ayuda. Y siempre en el año le da en veces al pie de una carga de trigo, por las Pascuas su carne, y cuando el par de los bodigos, las calzas viejas que deja; e hízonos alquilar una casilla par de la suya. Los domingos y fiestas casi todas las comíamos en su casa. Mas malas lenguas, que nunca faltaron ni faltarán, no nos dejan vivir, diciendo no sé qué, y sí sé qué, de que veen a mi mujer irle a hacer la cama y guisalle de comer. Y mejor les ayude Dios que ellos dicen la verdad; {aunque en este tiempo siempre he tenido alguna sospechuela y habido algunas malas cenas por esperalla algunas noches hasta las laudes y aún más, y se me ha venido a la memoria lo que mi amo el ciego me dijo en Escalona estando asido del cuerno; aunque de verdad siempre pienso que el diablo me lo trae a la memoria por hacerme malcasado, y no le aprovecha} porque, allende de no ser ella mujer que se pague destas burlas, mi señor me ha prometido lo que pienso cumplirá. Que él me habló un día muy largo delante della, y me dijo:

—Lázaro de Tormes, quien ha de mirar a dichos de malas lenguas, nunca medrará. Digo esto porque no me maravillaría alguno, viendo entrar en mi casa a tu mujer y salir della. Ella entra muy a tu honra y suya, y esto te lo prometo. Por tanto, no mires a lo que pueden decir, sino a lo que te toca, digo a tu provecho.

—Señor —e dije—, yo determiné de arrimarme a los buenos. Verdad es que algunos de mis amigos me han dicho algo deso, y aun, por más de tres veces me han certificado que, antes que comigo casase, había parido tres veces, hablando con reverencia de Vuestra Merced, porque está ella delante.

Entonces mi mujer echó juramentos sobre sí, que yo pensé la casa se hundiera con nosotros, y después tomóse a llorar y a echar maldiciones sobre quien comigo la había casado, en tal manera que quisiera ser muerto antes que se me hobiera soltado aquella palabra de la boca. Mas yo de un cabo y mi señor de otro, tanto le dijimos y otorgamos que cesó su llanto, con juramento que le hice de nunca más en mi vida mentalle nada de aquello, y que yo holgaba y había por bien de que ella entrase y saliese, de noche y de día, pues estaba bien seguro de su bondad. Y así quedamos todos tres bien conformes. Hasta el día de hoy, nunca nadie nos oyó sobre el caso; antes, cuando alguno siento que quiere decir algo della, le atajo y le digo:

—Mirá: si sois amigo, no me digáis cosa con que me pese, que no tengo por mi amigo al que me hace pesar; mayormente si me quieren meter mal con mi mujer, que es la cosa del mundo que yo más quiero, y la amo más que a mí. Y me hace Dios con ella mil mercedes y más bien que yo merezco; que yo juraré sobre la hostia consagrada que es tan buena mujer como vive dentro de las puertas de Toledo. Quien otra cosa me dijere, yo me mataré con él.

Desta manera no me dicen nada, y yo tengo paz en mi casa.

Esto fue el mesmo año que nuestro victorioso Emperador en esta insigne ciudad de Toledo entró y tuvo en ella cortes, y se hicieron grandes regocijos, como vuestra merced habrá oído. Pues en este tiempo estaba en mi prosperidad y en la cumbre de toda buena fortuna {de lo que de aquí adelante me sucediere avisaré a vuestra merced}.